Alice Reboul

Anne-Charlotte Boulinguez

Géraldine Fouquet

Sommaire

Vocabulaire **Grammaire** **Conjugaison** **Phonie-graphie** **Préparation au Delf**

Table des crédits photographiques

Couverture : Nikolaï Larin/Imagezoo/GettyImages
p. 3 : SpotPhotononstop ; **p. 27** : Alex Mares-Manton/Asia Images/GettyImages ; **p. 39 (bd - bg)** : Ambrophoto - Fotolia ; **p. 39 (hd)** : Jean Bernard/Tips/Photononstop ; **p. 39 (hg)** : Edyta Pawlowska - Fotolia ; **p. 54** -: anna - Fotolia.com ; **p. 107 (bd)** : David Souchon - Fotolia.com ; **p. 107 (bg)** : g0b - Fotolia.com ; **p. 107 (hd)** : Philippe Leridon - Fotolia.com ; **p. 107 (hg)** : Xavier Testelin/Gamma Rapho ; **p. 107 (mg)** : macumazahn - Fotolia.com
Illustrations : Martine Fichter 14-15-29 ; Hervé Moulin 16-18-20-22-26-30-39-54-56-58-59-72-76-77-88-89-91-92-107
Aides : **p. 101** - Le corps humain : Marine Kukesza ; **p. 107** - L'informatique : Clémentine Bernard

Nous avons recherché en vain les auteurs ou les ayants droit de certains documents reproduits dans ce livre. Leurs droits sont réservés aux Éditions Didier.

Édition : France Tabariés ; **Iconographie** : Aurélia Galicher ; **Maquette de couverture** : Marie-Astrid Bailly-Maître ; **Mise en page** : Text'oh ; **Photogravure** : SCEI

ISBN : 978-2-278-7272-9

Dépôt légal : 7272/03

Achevé d'imprimer en France en novembre 2012 par Clerc

Mobilisons-nous !

1. Observez cette photo et surlignez ce que l'on voit dans l'image.

Exemple : ***un stylo***

a. un appareil photo
b. des amis
c. une rue
d. un plan
e. une baguette de pain
f. un drapeau
g. une tasse de café
h. une carte postale

Voir les corrigés page 119.

Mobilisons-nous !

2. Retrouvez les mots dans la liste puis écrivez-les : bonjour, s'il vous plaît oui, salut, non, merci, bienvenue, au revoir.

Exemple : _ _ n _ _ _ _ > bonsoir

a. _ u _

b. _ _ r _ _

c. _ u _ e _ _ _ _

d. _ _ n

e. _' i _ _ _ u _ _ l _ _ _

f. _ a _ _ _

g. _ _ _ _ _ _ _ n _ _

h. _ _ _ j _ _ _

Voir les corrigés page 119.

3. Remettez les phrases dans l'ordre.

Exemple : rue. / c'est / une > C'est une rue.

a. C'est – voiture. – une

....

b. un – C'est – ordinateur.

....

c. hôtel. – C'est – un

....

d. des – amis. – Ce sont

....

e. la – Sorbonne. – C'est

....

f. C'est – Parlement. – le

....

g. l' – C'est – Italie.

....

h. étudiants de français. – Ce sont – les

....

Voir les corrigés page 119.

4. Reliez les questions aux réponses.

a. Comment ça s'écrit ?	◆	◆	Bien sûr !
b. Vous pouvez répéter ?	◆	◆	Je m'appelle Léa.
c. Vous comprenez ?	◆	◆	Non, je ne comprends pas.
d. C'est clair ?	◆	◆	On dit « merci » !
e. Comment on dit « Thank you » en français ?	◆	◆	Oui, j'étudie le français.
f. Comment tu t'appelles ?	◆	◆	Oui, mais un tout petit peu.
g. Vous parlez français ?	◆	◆	Oui.
h. Tu es étudiant ?	◆	◆	Ça s'écrit D-E-U-X.

Voir les corrigés page 119.

5. Complétez les jours de la semaine.

Livre élève p. 13

Lundi ....
samedi ....

Voir les corrigés page 119.

6. Complétez les suites de nombres.

Exemple : deux, quatre, six, huit.

a. un, deux, ..., quatre, ..., six
b. trois, ..., neuf, douze
c. zéro, quatre, ..., douze
d. dix, ..., ..., quarante, cinquante
e. dix, neuf, huit, ..., six, cinq, ...
f. ...., ..., huit, sept, six, cinq
g. cinq, ..., trois, deux, ..., ...
h. douze, dix, ..., six, quatre, ...

Voir les corrigés page 119.

Mobilisons-nous !

7. Écrivez les nombres en lettres.

Livre élève p. 13

*Exemple : 10 > **dix***

a. 6 : ....
b. 16 : ....
c. 3 : ....
d. 2 : ....
e. 12 : ....
f. 4 : ....
g. 14 : ....

Voir les corrigés page 119.

8. Écrivez les nombres en lettres.

Livre élève p. 11

*Exemple : 33 > **trente-trois***

a. 36 : ....
b. 44 : ....
c. 50 : ....
d. 61 : ....
e. 69 : ....
f. 71 : ....
g. 80 : ....
h. 99 : ....

Voir les corrigés page 119.

9. Complétez l'alphabet avec les lettres qui manquent.

Livre élève p. 12

a, b, ..., d, e, f, ..., h, ..., ..., k, l, ..., n, ..., p , ...,
.........., ..., t, ..., v, ..., x, ..., z.

Voir les corrigés page 119.

10. Écrivez les mots avec les accents : é, è, ê, î, ô.

Livre élève p. 12

*Exemple : ecrit > **écrit***

a. cafe creme : caf.......... cr ....me
b. liberte : libert..........
c. feminin : f..........minin
d. s'il vous plait : s'il vous pla..........t
e. repetez : r..........p ....tez
f. mere : m..........re
g. hotel : h..........tel
h. ecoutez : ....coutez

Voir les corrigés page 119.

\\ UNITÉ 1 \\

Arriver en France

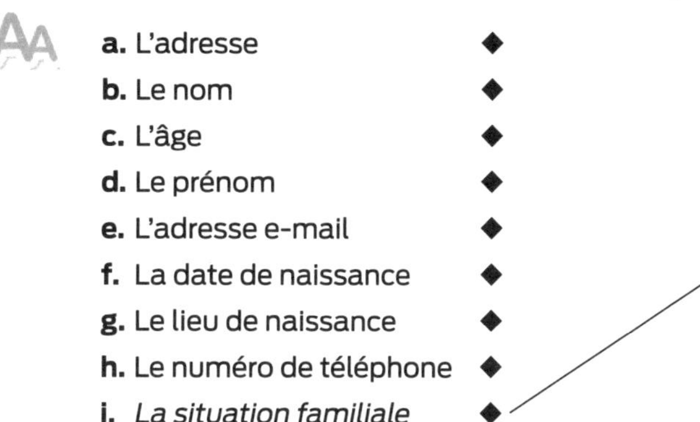

1. Associez l'information donnée avec la phrase.

a. L'adresse ◆	◆ 06 23 49 42 06
b. Le nom ◆	◆ 25, avenue du Grand Pont.
c. L'âge ◆	◆ 31 ans
d. Le prénom ◆	◆ Je m'appelle Alain.
e. L'adresse e-mail ◆	◆ *Je suis célibataire.*
f. La date de naissance ◆	◆ Je suis né le 8 avril 1992.
g. Le lieu de naissance ◆	◆ Je suis né à Biarritz.
h. Le numéro de téléphone ◆	◆ Monsieur Durand
i. *La situation familiale* ◆	◆ galiab@sdh.fr

Voir les corrigés page 119.

2. À l'aide des informations suivantes, complétez les fiches d'identité de Monsieur Drivine et Mademoiselle Gampin.

Je suis né en 1991. / Je suis né à Goteborg. / Je m'appelle Laurent. / Je suis née à Lausanne. / Je suis née le 12 mai 1985. / Je suis suédois. / Je m'appelle Virginie. / Je suis célibataire. / Je suis suisse. / Je suis mariée.

	L'homme	**La femme**
Le nom	Monsieur Drivine	Madame Gampin
Le prénom	....	....
La situation familiale	....	....
La date de naissance	....	....
Le lieu de naissance	....	....
La nationalité	....	....

Voir les corrigés page 119.

Arriver en France

3. Conjuguez les verbes pour compléter le tableau.

	Être	Avoir	S'appeler	Parler
Je / J'	....	....	***m'appelle***	....
Tu	....	....	....	....
Il / Elle	***est***	....	....	....
Vous	....	....	....	....

Voir les corrigés page 119.

4. Complétez avec le verbe *avoir* au présent.

*Exemple : Tu **as** une adresse mail ?*

a. J'.................................. 28 ans.
b. Vous .... quel âge ?
c. Mathieu .... un ami à Paris.
d. Elle .... deux enfants.
e. Léa, quel âge tu .... ?
f. Vous .... une voiture.

Voir les corrigés page 119.

5. Complétez avec *a* ou *est*.

*Exemple : Elle **est** américaine.*

a. Il .... 18 ans.
b. Elle .... chinoise.
c. Il .... né en France.
d. Mon numéro de téléphone, c'............................ le 01 24 33 56 17.
e. Elle .... un passeport et une photo.
f. Il .... quel âge ?

Voir les corrigés page 119.

6. **Choisissez l'adjectif de nationalité qui convient : norvégienne, espagnole, anglaise, italienne, brésilienne, américaine, russe.**

Livre élève p. 119

Exemple : Dusseldorf, c'est une ville ***allemande.***

a. La pizza, c'est une spécialité ....

b. Le Prado, c'est un musée ....

c. Janet Jackson, c'est une chanteuse ....

d. Ronaldinho, c'est un footballeur ....

e. Big Ben, c'est un monument ....

f. La Sibérie, c'est une région ....

g. Oslo, c'est une ville ....

Voir les corrigés page 119.

7. ***Le* ou *la* ? Complétez par l'article qui convient devant chaque nom de pays.**

a. .... Grèce

b. .... Japon

c. .... Canada

d. .... Suisse

e. .... Sénégal

f. .... Roumanie

Voir les corrigés page 119.

8. **Entourez le sujet correct.**

Livre élève p. 117

Exemple : Il / Je / Vous s'appelle Gustave

a. Je / Tu / Elle habites au Canada.

b. Vous / Il / Elles parle japonais ?

c. Toi et Alexandre, **je / il / vous** êtes étudiants.

d. Je / J' / Tu ai un visa de tourisme.

e. Nous / Vous / Ils avez un appartement à Marseille.

f. Je / Elle / Vous suis vendeur.

Voir les corrigés page 119.

Arriver en France

9. Associez un pronom sujet à une phrase.

a. Je ◆	◆	es en voyage.
b. Tu ◆	◆	est mariée.
c. Il ◆	◆	est né à Paris.
d. Elle ◆	◆	sommes les amis de Lucas.
e. Nous ◆	◆	sont mexicaines.
f. Vous ◆	◆	sont thaïlandais.
g. Ils ◆	◆	suis française.
h. Elles ◆	◆	êtes célibataire ?

Voir les corrigés page 119.

10. Complétez avec un pronom sujet : *j', je, tu, il, nous, vous, ils, elles.*

Livre élève p. 21 et p. 117

a. Moi, ... suis française.
b. Lui, ... est professeur.
c. Vous, ... êtes étranger.
d. Toi, ... es japonais.
e. Elle, ... est belge.
f. Moi, ... ai 32 ans.
g. Et vous, ... habitez à Perpignan.

Voir les corrigés page 119.

11. Complétez avec : *moi, toi, elle, lui, elles, eux, nous, vous.*

Livre élève p. 21 et p. 117

*Exemple : **Moi**, j'habite Orléans.*

a. ...., nous habitons à Berlin.
b. ...., vous connaissez Lyon ?
c. ...., je pars à Roubaix.
d. ...., elle est suédoise.
e. ...., ils ont 3 enfants.
f. ...., tu as 25 ans.
g. ...., elles parlent un peu anglais.
h. ...., il s'appelle Nassim.

Voir les corrigés page 119.

12. **Écrivez les noms des mois correctement.**

Exemple : najierv : janvier

a. unij : ....
b. boctero : ....
c. otûa : ....
d. ovbrneme : ....
e. liletuj : ....
f. véfirer : ....
g. mrdcébee : ....
h. ami : ....
i. ptesmeber : ....
j. rams : ....
k. ilvra : ....

Voir les corrigés page 119.

13. **Écrivez les mois dans le bon ordre.**

Livre élève p. 19

janvier / mai / septembre / mars / juin / avril / octobre / août / novembre / juillet / février / décembre

.... < .... < .... < .... <
.... < .... < .... < .... <
.... < .... < .... < ....

Voir les corrigés page 119.

14. **Conjuguez les verbes entre parenthèses.**

-er

Exemple : Vous (avoir) ***avez*** *votre passeport ?*

a. Vous (parler) .... italien.
b. Vous (être) .... marié ?
c. Je (s'appeler) .... Camilia Boots.
d. Bonjour Madame Liu, vous (aller) .... bien ?
e. Tu (avoir) .... un dictionnaire français-anglais ?
f. Moi, j'(habiter) .... à Bordeaux.

Voir les corrigés page 119.

Arriver en France

15. Pour chaque réponse, surlignez le bon verbe.

a. Regarde, *parle / c'est / a* Sophie !
b. Nathan *a / parle / habite* à Madrid.
c. Vous *êtes / parlez / allez* couramment anglais et français ?
d. Tu *vas / es / t'appelles* bien ?
e. Je m' *ai / appelle / parle* Joséphine.
f. Antoine *a / es / est* célibataire.
g. Clara *est / habite / a* américaine ?
h. J' *parte / suis / ai* 30 ans.

Voir les corrigés page 119.

16. Complétez les phrases avec les prépositions : *à*, *au*, *en*.

Livre élève p. 19 et p. 123

*Exemple : La tour Eiffel, c'est **à** Paris, **en** France.*

a. Le Corcovado, c'est .... Rio de Janeiro, ... Brésil.
b. La Tour de Pise, c'est .... Pise, ... Italie.
c. L'Acropole, c'est .... Athènes, ... Grèce.
d. L'Alhambra, c'est .... Grenade, ... Espagne.
e. La Cité Interdite, c'est .... Pékin, ... Chine.
f. Le Machu Picchu, c'est .... Pérou.
g. Le Taj Mahal, c'est .... Agra, ... Inde.

Voir les corrigés page 119.

17. Complétez les phrases comme dans l'exemple.

Livre élève p. 19 et p. 123

*Exemple : Peter est né **au** Canada ; il est **canadien**.*

a. Anna est née .... Roumanie ; elle est ....
b. Abdou habite .... Sénégal ; il est ....
c. Aniko est née .... Japon ; elle est ....
d. Gabriel est né .... Suisse ; il est ....
e. Elektra est née .... Grèce ; elle est ....
f. Tina est née .... États-Unis ; elle est ....
g. Lei est né .... Chine ; il est ....

Voir les corrigés page 119.

Livre élève p. 19 et p. 118

18. Surlignez l'adjectif possessif qui convient.

— Bonjour, Monsieur, je voudrais m'inscrire pour un cours de français.

— Oui, bien sûr. Alors, *(mon, ma, votre)* nom, s'il vous plaît ?

— *(Mon, Ma, Votre)* nom, c'est Biazzi, et (mon, ma, votre) prénom, c'est Nino.

— Et *(mon, ma, votre)* date de naissance ?

— *(Mon, Ma, Votre)* date de naissance ? Je suis né le 24 juillet 1988.

— *(Mon, Ma, Votre)* nationalité ?

— *(Mon, Ma, Votre)* nationalité ? Et bien, je suis italien.

— Merci monsieur. Voici *(mon, ma, votre)* carte !

Voir les corrigés page 119.

19. Pour chaque réponse, trouvez la question qui correspond.

a. Je m'appelle Marco Pinto.

☐ Votre nom, ça s'écrit comment ?
☐ Vous vous appelez comment ?
☐ Vous habitez à Paris ?

b. Non, je suis portugais.

☐ Vous habitez au Portugal ?
☐ Vous êtes espagnol ?
☐ Vous êtes marié ?

c. J'ai 33 ans.

☐ Votre adresse mail, s'il vous plaît ?
☐ Votre date de naissance ?
☐ Vous avez quel âge ?

d. Oui, j'habite à Paris.

☐ Vous êtes français ?
☐ Vous habitez en France ?
☐ Votre adresse, s'il vous plaît ?

e. Oui, je parle français, anglais et portugais.

☐ Vous habitez en France ?
☐ Vous êtes français ?
☐ Vous parlez français ?

f. C'est le 06 07 75 76 77.

☐ Votre adresse, s'il vous plaît ?
☐ Votre adresse mail, s'il vous plaît ?
☐ Votre numéro de téléphone, s'il vous plaît ?

Voir les corrigés page 119.

20. Compréhension écrite. Observez le document puis répondez par vrai ou par faux.

a. L'école donne des cours de français.	☐ Vrai	☐ Faux
b. Il y a des cours de portugais.	☐ Vrai	☐ Faux
c. Le test de niveau en français est sur le site Internet de l'école.	☐ Vrai	☐ Faux
d. Les étudiants étrangers ont 10 heures de cours par semaine.	☐ Vrai	☐ Faux
e. Je suis débutante. Mon cours d'espagnol commence le 9 janvier.	☐ Vrai	☐ Faux

Voir les corrigés page 119.

21. **Compréhension écrite. Observez le document puis choisissez les bonnes réponses.**

a. C'est quoi ?
☐ un article
☐ une affiche
☐ un site internet

b. *Langues pour tous*, c'est quand ?
☐ en décembre
☐ en mars
☐ en juin

c. C'est où ?
☐ à Paris
☐ à Versailles
☐ à Montréal

d. C'est pour :
☐ toutes les langues
☐ la langue française
☐ les langues francophones

Voir les corrigés page 119.

DELF

22. Production écrite. Écrivez un texte de présentation à partir de la fiche d'identité de Johanna.

Nom : Vantreck
Prénom : Johanna
Âge : 27 ans
Nationalité : belge
Adresse : 3, rue de la poste - 66000 Perpignan
Téléphone : 06 65 77 98 97
Adresse mail : johannavantreck@hotmail.com

....
....
....
....
....
....
....
....
....

Voir les corrigés page 120.

DELF

23. Production écrite. Vous cherchez un correspondant. Vous écrivez un message sur un site étudiant. Vous indiquez votre nom, votre prénom, votre nationalité, votre âge, votre situation familiale et votre adresse. Vous indiquez aussi votre adresse mail et l'objet de votre message.

....
....
....
....
....
....
....
....
....
....

Voir les corrigés page 120.

Vie privée, vie publique

1. Classez les mots en deux catégories : le travail / les études et la famille.

Activité / Enfants / Métier / Mère / Entreprise / Famille / Travail / Père / Formation / Études

Le travail / Les études	La famille
....	....
....	....
....	....
....	....
....	....
....	....

Voir les corrigés page 120.

2. Complétez par le domaine d'études qui correspond au métier.

Livre élève p. 27

Médecine / gestion / langues / finance / biologie / comptabilité / informatique

Exemple : Je voudrais être commercial : j'étudie ***le commerce.***

a. Je voudrais être chirurgien : j'étudie la ....

b. Je voudrais être professeur de biologie : j'étudie la ....

c. Je voudrais être traducteur : j'étudie les ....

d. Je voudrais être informaticien : j'étudie l' ....

e. Je voudrais être banquier : j'étudie la ....

f. Je voudrais être comptable : j'étudie la ....

g. Je voudrais être gestionnaire : j'étudie la ....

Voir les corrigés page 120.

3. Surlignez les activités de ces trois personnes.

a. Un acteur : apprendre un texte - jouer dans un film - répondre aux clients - répondre au téléphone - répéter une scène - écrire des mails - présenter un produit - parler en public - faire un planning - voyager - donner des informations

b. Un vendeur : répondre aux clients - répéter une scène - faire un planning - jouer dans un film - donner des informations - présenter un produit - répondre au téléphone - apprendre un texte - parler en public - écrire des mails - voyager

c. Une secrétaire : faire un planning - donner des informations - apprendre un texte - répéter une scène - parler en public - écrire des mails - jouer dans un film - répondre aux clients - présenter un produit - voyager - répondre au téléphone

Voir les corrigés page 120.

4. Complétez le tableau avec les noms de métiers au féminin ou au masculin.

Livre élève p. 27

Masculin	Féminin
serveur	....
musicien	....
boulanger	....
acteur	....
pâtissier	....
....	cuisinière
....	informaticienne
....	chanteuse
....	avocate
....	traductrice

Voir les corrigés page 120.

Livre élève p. 27

5. Complétez avec un article défini : *le, la, l', les.*

*Exemple : **La** littérature*

a. .... rue (f.)
b. .... commerce (m.)
c. .... étudiant (m.)
d. .... mathématiques (f.)
e. .... économie (f.)
f. .... amis (m.)
g. .... sciences (f.)
h. .... parc (m.)

Voir les corrigés page 120.

Livre élève p. 118

6. Complétez avec des articles définis ou indéfinis : *le, la, les, l', un, une, des.*

*Exemple : Quelle est **l'**adresse mail de Sonya ?*

a. Je voudrais .... renseignement, s'il vous plaît.
b. Je connais .... musicienne suédoise.
c. Invent'If, c'est .... entreprise de mon oncle.
d. Vous connaissez .... sœur de Nicole ?
e. Vous cherchez .... appartement ?
f. Venise ? C'est .... ville italienne. C'est .... ville des amoureux !
g. J'ai .... amis québécois.
h. .... amis de Stéphane sont tunisiens.

Voir les corrigés page 120.

7. Cochez l'adjectif possessif qui convient.

Livre élève p. 118

a. Tu téléphones à .... parents ?
☐ ma
☐ tes
☐ ton

b. Tu connais .... cousine Sylvie ?
☐ mes
☐ ma
☐ ton

c. .... études sont intéressantes ?
☐ Vos
☐ Votre
☐ Ta

d. Il cherche .... clés.
☐ ses
☐ sa
☐ son

e. Vous connaissez .... frères ?
☐ mes
☐ ton
☐ sa

f. .... enfants ont quel âge ?
☐ Vos
☐ Mes
☐ Votre

g. Et ton ami Luigi, quelle est .... nationalité ?
☐ sa
☐ son
☐ ses

h. .... cousins sont gentils.
☐ Mes
☐ Mon
☐ Ma

Voir les corrigés page 120.

8. Complétez par : *ce sont* ou *c'est*.

Livre élève p. 29

*Exemple : **C'est** mon mari, **ce sont** mes parents.*

a. .... des enfants très polis.
b. .... le créateur de Netexport.
c. .... la sœur de Cathy.
d. .... mes clés.
e. .... ta voiture ?
f. .... vos documents.
g. .... ses amis.
h. Regarde ! .... le chef cuisinier !

Voir les corrigés page 120.

....

....

9. Complétez les phrases suivantes.

Exemple : C'est le frère de ma mère > c'est ***mon oncle.***

a. C'est la mère de mon père : c'est ....

b. C'est la fille de mes parents : c'est ....

c. C'est le frère de mon père : c'est ....

d. C'est le père de ma mère : c'est ....

e. C'est la fille de mon oncle : c'est ....

f. C'est la mère de mes cousins : c'est ....

Voir les corrigés page 120.

10. Complétez le tableau.

Exemple : le père > ***la mère***

Masculin	Féminin
Le fils	....
Le grand-père	....
Le mari	....
Le frère	....
Le cousin	....
L'oncle	....

Voir les corrigés page 120.

Vie privée, vie publique

11. Remettez les lettres dans l'ordre pour trouver les adjectifs.

Exemple : TPIAMTORN > important.

a. EFCLAI : ....

b. NTFTAAIG : ....

c. ESINÉARSTNT : ....

d. EYNQDUAIM : ....

e. GDXEAUERN : ....

f. EUNXNUEY : ....

g. USHQYMPIEAT : ....

h. RXISEUE : ....

i. ELACM : ....

j. TIEUINL : ....

Voir les corrigés page 120.

Livre élève p. 119

12. Transformez les phrases au masculin ou au féminin.

*Exemple : Ma tante est **intéressante**. > Mon oncle est **intéressant**.*

a. Mon frère est dynamique. ....

b. Mon fils est fatigant. ....

c. Mon cousin est ennuyeux. ....

d. Mon grand-père est intéressant. ....

e. Ma grand-mère est sérieuse. ....

f. Ma mère est amusante. ....

g. Ma femme est calme. ....

h. Ma fille est curieuse. ....

Voir les corrigés page 120.

13. Cochez le verbe qui convient.

Exemple : Tu ..... à Marseille ? ☐ habite ☐ habitons ☒ habites

a. Vous ..... quel sport ?

☐ pratique
☐ pratiquez
☐ pratiquent

b. Les étudiants ..... un peu français.

☐ parlez
☐ parlons
☐ parlent

c. Marianne et moi ..... des questions.

☐ posons
☐ posez
☐ pose

d. Tu ..... ton voyage ?

☐ organises
☐ organise
☐ organisez

e. Imane ..... ses amis au café.

☐ rencontrez
☐ rencontre
☐ rencontrent

f. Vous ..... des informations utiles.

☐ donne
☐ donnez
☐ donnent

g. Madame Lannuzel ..... une équipe de 9 personnes.

☐ dirigez
☐ dirige
☐ diriges

h. Nous ..... un film très amusant.

☐ regardons
☐ regardes
☐ regardent

Voir les corrigés page 120.

Vie privée, vie publique

14. Choisissez le bon adjectif interrogatif : *quel, quels, quelle, quelles.*

Livre élè
p. 29

*Exemple : **Quelle** est votre adresse ?*

a. Vous avez .... âge ?
b. .... mots vous comprenez ?
c. Tu fais .... études ?
d. Il habite dans .... maison ?
e. .... est votre nom ?
f. .... est ta profession ?
g. Tu regardes .... film ?
h. Vous écoutez .... chanson ?

Voir les corrigés page 120.

15. Complétez avec *ne* ou *n'*.

*Exemple : Vous **ne** choisissez pas.*

a. Vous .... connaissez pas Berlin ?
b. Non, il ..... étudie pas les mathématiques.
c. Je .... suis pas marié.
d. Nous .... avons pas d'enfant.
e. Tu .... organises pas la réunion ?
f. Thomas et Samia .... sont pas d'accord.
g. Je .... écoute pas de jazz.
h. Nous .... écrivons pas beaucoup.

Voir les corrigés page 120.

16. Écrivez les phrases suivantes à la forme négative.

*Exemple : Tu étudies l'informatique. > Tu **n'**étudies **pas** l'informatique.*

a. Il est américain. > Il .... américain.
b. Jimmy parle japonais. > Jimmy .... japonais.
c. C'est une formation intéressante. > .... une formation intéressante.
d. Nous sommes étudiants en commerce international. > Nous .... étudiants en commerce international.
e. Vous voyagez beaucoup. > Vous .... beaucoup.
f. Les scientifiques cherchent la solution. > Les scientifiques .... la solution.
g. Mon professeur corrige beaucoup d'exercices. > Mon professeur .... beaucoup d'exercices.
h. Ma sœur fait un métier dangereux. > Ma sœur .... un métier dangereux.

Voir les corrigés page 120.

Livre élève p. 29

17. Complétez les phrases avec le verbe *faire* au présent.

*Exemple : Je **fais** du journalisme.*

a. Qu'est-ce que vous .... dans la vie ?

b. Mon père .... du vélo le dimanche.

c. Nous .... des études de langues ensemble.

d. Qu'est-ce que tu .... aujourd'hui ?

e. Le journaliste .... un reportage.

f. Les voisins .... une fête ce soir.

g. Luc Besson .... un nouveau film.

h. Je .... de la cuisine surtout pour mes amis.

Voir les corrigés page 120.

18. Remettez les mots dans le bon ordre.

a. ne – Vous – pas – beaucoup. – voyagez

....

....

b. artistes – sont – des – importants. – Ce

....

....

c. le – pas – fils – Ce – est – de – Nathalie. – n'

....

....

d. le – écoutes – questions. – des – Tu – pose – guide – et – je

....

....

e. étrangères. – professeur – Mon – quatre – parle – langues

....

....

f. personnes – la – Nous – présentation. – et – choisissons – trois – préparons – nous

....

....

Voir les corrigés page 120.

19. Compréhension écrite. Lisez ce document et cochez les bonnes réponses.

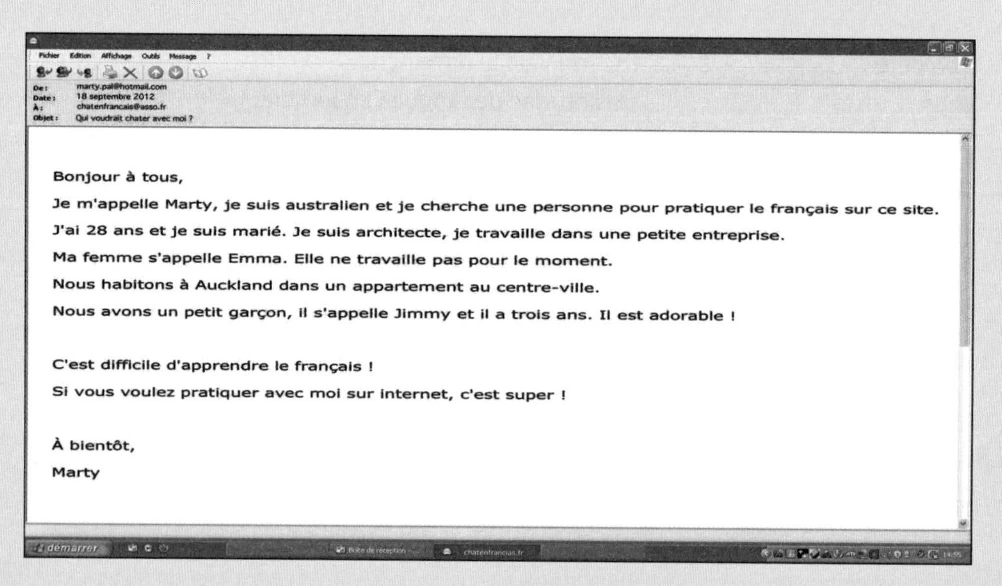

Fichier Edition Affichage Outils Message ?

De : marty.pal@hotmail.com
Date : 18 septembre 2012
À : chatenfrancais@asso.fr
Objet : Qui voudrait chater avec moi ?

Bonjour à tous,

Je m'appelle Marty, je suis australien et je cherche une personne pour pratiquer le français sur ce site.

J'ai 28 ans et je suis marié. Je suis architecte, je travaille dans une petite entreprise.

Ma femme s'appelle Emma. Elle ne travaille pas pour le moment.

Nous habitons à Auckland dans un appartement au centre-ville.

Nous avons un petit garçon, il s'appelle Jimmy et il a trois ans. Il est adorable !

C'est difficile d'apprendre le français !

Si vous voulez pratiquer avec moi sur internet, c'est super !

À bientôt,

Marty

a. Ce document est :
- ☐ une lettre.
- ☐ un e-mail.
- ☐ une affiche.

b. Marty écrit pour :
- ☐ voyager en France.
- ☐ trouver un travail.
- ☐ pratiquer le français.

c. Marty est marié ?
- ☐ Oui.
- ☐ Non.
- ☐ On ne sait pas.

d. Son fils a :
- ☐ 3 ans.
- ☐ 2 ans.
- ☐ 4 ans.

e. Sa femme est coiffeuse ?
- ☐ On ne sait pas.
- ☐ Oui.
- ☐ Non.

Voir les corrigés page 120.

20. Production écrite. Observez la photo et présentez la famille que vous voyez.

C'est une famille chinoise...

Voir les corrigés page 120.

\\ UNITÉ 3 \\

Des goûts et des couleurs

1. Surlignez les mots qui désignent un groupe.

un jeune / une communauté / une personne / un réseau professionnel / un individu / un groupe d'amis / un réseau virtuel / une équipe de volley-ball / une tribu / une famille / un personnage.

Voir les corrigés page 120.

2. Classez les mots dans les catégories suivantes : vêtements ou accessoires.

un sac / un costume / une jupe / un chapeau / une casquette / des chaussettes / une chemise / un bijou / des lunettes

Les vêtements	Les accessoires
....	....
....	....
....	....
....	....
....	....

Voir les corrigés page 120.

3. Classez les activités suivantes dans le tableau.

la fête / la guitare / le piano / les voyages / la randonnée / le cinéma / la natation / le théâtre / le yoga / les soirées entre amis / la photographie / les concerts / la lecture

Activités sportives	Activités musicales	Activités culturelles	Autres
....	....	....	....
....	....	....	....
....	....	....	....
....	....	....	....

Voir les corrigés page 120.

4. Complétez le tableau par le verbe ou le nom de chaque activité.

la course à pied / les voyages / la marche / l'écriture / jouer / cuisiner / nager

Verbe	Activité
voyager	....
....	la natation
marcher	....
....	la cuisine
écrire	....
courir	....
....	le jeu

Voir les corrigés page 120.

5. Complétez avec le verbe *faire* à la forme qui convient.

a. — Qu'est-ce que vous .... dans la vie ?
— Je .... de l'informatique.

b. — Qu'est-ce que tu .... le week-end ?
— Avec ma femme, nous .... du théâtre.

c. — Est-ce que Gilles .... de la musique ?
— Oui, il .... de la batterie dans un groupe de rock.

d. — Qu'est-ce que les Italiens .... le dimanche ?
— Souvent, ils .... un grand repas de famille.

e. — Qu'est-ce que vous .... en vacances ?
— Nous .... des voyages dans toute l'Europe.

Voir les corrigés page 120.

6. Conjuguez le verbe entre parenthèses au présent.

-er

a. Pierre *(aimer)* .... courir.
b. Malo et Charlie *(adorer)* .... skier.
c. Sacha *(bien aimer)* .... parler.
d. Oscar *(détester)* .... lire.
e. Lise et Valentine *(aimer beaucoup)* .... faire du théâtre.
f. Mohammed et toi *(aimer)* .... nager.
g. Marin et moi *(ne pas aimer)* .... jouer au foot.
h. Tu *(ne pas beaucoup aimer)* .... ce restaurant ?

Voir les corrigés page 120.

7. Lisez chaque réponse puis mettez les mots dans l'ordre pour formuler la question qui correspond.

a. — Elle préfère la montagne.
Laure – ou – la mer – préfère – Est-ce que – la montagne – ?
....
....

b. — Oui, j'adore !
sortir – Est-ce que – ? – aimes – tu – le vendredi soir
....
....

c. — Non, je ne vais pas souvent au cinéma.
? – au – souvent – Est-ce que – vas – tu – cinéma
....
....

d. — Oui, il fait de la natation tous les dimanches.
fait – Nicolas – ? – sport – Est-ce que – du
....
....

e. — Je ne sais pas.
du – Est-ce qu' – rock – ? – Hugo – écoute
....
....

f. — Oui, parce que je n'aime pas du tout faire du shopping.
achètes – des vêtements – tu – Est-ce que – sur internet – ?
....
....

Voir les corrigés page 121.

8. Conjuguez le verbe *aller* au présent.

Livre élève p. 39

a. — Est-ce que tu .... au bureau ?
— Non, je .... à un rendez-vous.

b. — Est-ce que vous .... souvent en Italie ?
— Non, nous .... souvent en Espagne.

c. — Claire et Aldo .... à la mer !
— Et toi aussi, tu .... à la mer ?

d. — Est-ce que Delphine .... à la soirée samedi ?
— Oui, on .... à la soirée ensemble.

Voir les corrigés page 121.

9. Complétez avec : *du, de la, de l', des.*

Livre élève p. 39

a. Je fais .... sport avec Carole.
b. Paul fait .... escalade le mercredi.
c. Nous aimons faire .... sports de plein air.
d. Jean-Baptiste et Marthe font .... yoga.
e. À l'école, les enfants font .... gymnastique.
f. Ma mère fait .... aïkido.
g. François fait .... randonnée dans les Pyrénées.
h. Julien fait .... ski tous les week-ends.

Voir les corrigés page 121.

10. Complétez avec : *à l', à la, au, aux.*

a. Le dimanche, nous allons .... piscine.
b. Le week-end, nous aimons aller .... campagne.
c. Le lundi, Lucie va souvent .... rencontres de la Maison Internationale.
d. Le jeudi soir, je vais souvent .... théâtre.
e. Le samedi, Martin ne va pas ....école.
f. Le soir, il va souvent .... salle de sport.
g. Le vendredi, nous aimons aller .... restaurant.
h. Le matin, elles vont souvent .... marché.

Voir les corrigés page 121.

11. Surlignez la préposition qui convient.

a. Thomas Dutronc joue **de la / à la** guitare.
b. Roger Federer joue **du / au** tennis.
c. Zinedine Zidane joue **du / au** football.
d. Nikola Karabatic joue **du / au** hand-ball.
e. Le mardi soir, on joue **du / au** poker.
f. Ma mère joue **du / au** piano.
g. En vacances, ils jouent **des / aux** cartes.

Voir les corrigés page 121.

12. Complétez avec les verbes *faire* ou *aller* conjugués au présent.

a. Olivia, vous .... du sport le week-end ?
b. Arnaud et Kader .... du hip-hop.
c. Adèle et Carmen .... à l'école.
d. Jules et moi, nous .... souvent aux États-Unis.
e. Simon .... de la musique pop.
f. Tu .... à l'opéra ce soir ?
g. Aujourd'hui, ma sœur .... au musée Fabre à Montpellier.
h. Avec mes parents, nous .... souvent de la randonnée.

Voir les corrigés page 121.

Des goûts et des couleurs

13. Choisissez le mot interrogatif qui convient : *quelle, quelles, quel, quels, qu'est-ce que, qu'est-ce qu'.*

a. .... est ta couleur préférée ?
b. .... il fait aujourd'hui ?
c. .... sont tes chansons préférées ?
d. .... est le sport préféré des Brésiliens ?
e. .... tu n'aimes pas à Paris ?
f. .... sont vos loisirs ?
g. .... est ton style préféré ?
h. .... acteurs jouent dans ce film ?

Voir les corrigés page 121.

14. Retrouvez la réponse correspondante à chaque question.

a. *Pourquoi tu écoutes Bob Marley ?* ◆	◆ Parce que je déteste la voiture !
b. Pourquoi tu étudies le français ? ◆	◆ Parce que je n'aime pas du tout ce peintre !
c. Pourquoi tu vas en boîte de nuit ? ◆	◆ Parce que je préfère regarder des films en DVD.
d. Pourquoi tu portes des vêtements bleus ? ◆	◆ Parce que je travaille en France.
e. Pourquoi tu ne visites pas le musée Picasso ? ◆	◆ *Parce que j'adore le reggae !*
f. Pourquoi tu fais du vélo ? ◆	◆ Parce que j'aime faire la fête et danser avec mes amis.
g. Pourquoi tu ne vas pas au cinéma ? ◆	◆ Parce que le bleu est ma couleur préférée !

Voir les corrigés page 121.

Livre élève p. 41

15. **Pour chaque proposition, formulez une question avec *Pourquoi* en utilisant le sujet entre parenthèses.**

*Exemple : Jouer au football. (tu) > **Pourquoi tu joues** au football ?*

a. Vivre à Bordeaux. *(tu)* ....

b. Aimer Strasbourg. *(ta femme et toi)* ....

c. Faire du violon. *(Nora)* ....

d. Travailler dans la finance. *(tes parents)* ....

e. Ne pas aller au restaurant. *(nous)* ....

f. Habiter en ville. *(Nils)* ....

g. Voyager à l'étranger. *(Satia)* ....

Voir les corrigés page 121.

16. **Répondez aux questions comme dans l'exemple.**

Exemple : Pourquoi Élise va à la piscine tous les week-ends ?
*Parce qu'**elle adore nager.** / Parce qu'**elle adore la natation.***

a. Pourquoi Estelle va à l'opéra tous les week-ends ? ....

b. Pourquoi Antoine et Nicolas vont à la mer le dimanche ? ....

c. Pourquoi vous allez au cinéma tous les samedis ? ....

d. Pourquoi tu fais les magasins le samedi ? ....

e. Pourquoi Julia va au cyber café tous les soirs ? ....

Voir les corrigés page 121.

Des goûts et des couleurs

17. Complétez le tableau : trouvez les formes manquantes des adjectifs.

Livre élè
p. 119

Masculin singulier	Masculin pluriel	Féminin singulier	Féminin pluriel
....	....	grande	....
noir	....	....	....
....	bruns	....	....
....	....	sympathique	....
vieux	....	....	....
....	....	....	rousses
....	blancs	....	....
gentil	....	....	....
....	....	belle	....

Voir les corrigés page 121.

18. Conjuguez le verbe *vivre* au présent pour compléter les phrases.

a. Moi, je .... à Tokyo.
b. Et toi, tu .... à Londres ?
c. Mathieu, il .... à Rio de Janeiro.
d. Paola, elle .... à Sao Polo.
e. Mes amis .... à New-York.
f. Nous, nous .... à Montréal.
g. Et vous, vous .... à Rome ?
h. Mes parents ? Ils .... à Montpellier.

Voir les corrigés page 121.

....

....

19. Transformez les phrases en utilisant *on* ou *nous*.

*Exemple : Nous adorons > **On adore** les sushis.*

a. On fait le marché le dimanche.

.... le marché le dimanche.

b. Mes amis et moi, on n'aime pas la campagne.

Mes amis et moi, ... la campagne.

c. Adeline et moi, nous vivons à Paris.

Adeline et moi, ... à Paris.

d. Nous travaillons à Montréal.

.... à Montréal.

e. Dans mon groupe, on ne parle pas anglais.

Dans mon groupe, ... anglais.

f. Mon frère et moi, nous étudions à l'étranger.

Mon frère et moi, ... à l'étranger.

Voir les corrigés page 121.

20. Complétez avec l'adjectif possessif qui convient.

Livre élève p. 118

*Exemple : Nikolaï, c'est le mari d'Olga. > Nikolaï, c'est **son mari**.*

a. Avni, c'est la collègue indienne de Roger. > Avni, c'est .... collègue indienne.

b. Liam, c'est l'ami anglais de mes parents. > Liam, c'est .... ami anglais.

c. Darcy, c'est le copain australien de Christine et moi. > Darcy, c'est .... copain australien.

d. Jess et Patrick, ce sont les cousins de Darcy. > Jess et Patrick, ce sont .... cousins.

e. Lan et Lei, ce sont les amies coréennes de Sophie et Anne. > Lan et Lei, ce sont .... amies coréennes.

f. Kim et Mai, ce sont les stagiaires de mon patron et moi. > Kim et Mai, ce sont .... stagiaires.

Voir les corrigés page 121.

Des goûts et des couleurs

21. **Complétez avec l'adjectif possessif qui convient : *ma, mon, sa, son, ses, ta, ton, tes, leur, leurs.* Attention aux majuscules en début de phrases !**

a. *Ma* tribu, c'est .... famille : .... mari, ... 2 sœurs, ... 10 cousines et .... cousins ! Ce sont aussi .... amis : Pedro, Marie, Vincent et Tina ! .... activité préférée est sortir : j'adore faire la fête avec mes amis !

b. Jean travaille dans un hôtel. .... profession est intéressante. Le directeur de l'hôtel est Arthur Legrand : c'est le frère de .... femme. .... collègues sont jeunes et dynamiques.

c. Julia et Marco sont .... amis italiens. Je connais bien .... meilleure amie et .... frères et sœurs. Ils sont très sympas aussi !

d. Tu connais la couleur préférée de .... petite amie ? Et le chanteur préféré de .... meilleur ami ? Et la tenue préférée de .... amie Lucy ? Et toi, quelles sont .... préférences ?

Voir les corrigés page 121.

22. Compréhension écrite. Reliez les descriptions aux photos.

a. Elle a les cheveux bruns et longs. Elle porte une jupe, un pull rose et des chaussures en cuir. ◆ ◆ 1.

b. Il est très jeune. Il porte un jean, une chemise à carreaux et des baskets blanches. ◆ ◆ 2.

c. Elle est mince et brune. Elle porte un costume, des chaussures noires en cuir, une cravate et elle tient ses lunettes. ◆ ◆ 3.

d. Il porte une chemise blanche, un costume et des baskets noires. ◆ ◆ 4.

Voir les corrigés page 121.

DELF

23. **Expression écrite. Vous êtes nouveau dans votre ville. Vous voulez rencontrer ses habitants. Vous écrivez un message sur le site Internet de l'association « J'arrive ! » : vous vous présentez. Vous parlez de vos activités professionnelles, de vos centres d'intérêt et de vos loisirs. Ensuite, vous posez quelques questions à vos futurs amis ! (50-60 mots).**

Voir les corrigés page 121.

\\ UNITÉ 4 \\

À table !

Livre élève p. 47

1. Associez chaque produit à un commerce : lait, fromage, jambon, huile d'olive, œufs frais, pain, fruits, légumes, viande, gâteau, farine, croissant.

À la boulangerie	Chez le fromager	À la boucherie-charcuterie	Chez le primeur	À l'épicerie
....	....	....	....	....
....	....	....	....	....
....	....	....	....	....
....	....	....	....	....
....	....	....	....	....

Voir les corrigés page 121.

2. Associez chaque produit à un contenant : les champignons, le sucre, le jus de fruits, le vin, la farine, l'eau, les œufs, le café.

Un paquet	Une boîte en carton	Une bouteille
....	....	....
....	....	....
....	....	....
....	....	....
....	....	....

Voir les corrigés page 121.

3. Complétez les phrases avec le verbe *manger* conjugué au présent de l'indicatif.

*Exemple : Je **mange** souvent au restaurant.*

a. Marie et Cécile .... souvent des frites.

b. Élise ne .... pas de viande.

c. Est-ce que tu .... beaucoup de pain ?
d. Anne .... des sushis tous les jours.
e. Dans ma famille, nous .... beaucoup de fruits.
f. Est-ce que vous .... de la viande ?
g. Je .... du chocolat quand je bois du café.
h. Au Portugal, on .... beaucoup de poisson.

Voir les corrigés page 121.

Livre élè
p. 126

4. Complétez les phrases avec le verbe *acheter* conjugué au présent de l'indicatif.

*Exemple : Vous **achetez** vos légumes chez le primeur.*

a. Tu .... les légumes au marché ou au supermarché ?
b. Les touristes .... leurs cartes postales ici.
c. On .... des fruits pour le dessert ?
d. Nous n'.. pas sur Internet.
e. J'.. ces produits au marché.
f. Est-ce que vous .... toujours vos vêtements en soldes ?
g. Ludovic .... toujours ses jeans dans cette boutique.
h. Elles .... souvent des vêtements.

Voir les corrigés page 121.

5. Complétez le tableau en classant les plats en entrée, plat principal ou dessert.

soupe de légumes / glace à la vanille / omelette aux champignons / salade tomates-mozzarella / poisson et légumes verts / mousse au chocolat / ratatouille / salade de fruits / poulet frites

Entrée	Plat principal	Dessert
....	....	....
....	....	....
....	....	....
....	....	....

Voir les corrigés page 122.

6. Complétez les phrases en conjugant les verbes à l'impératif, à la 2e personne du singulier.

Livre élève p. 49 et p. 120

*Exemple : Aller > **Va** au marché !*

a. Venir > .... ici !
b. Boire > .... de l'eau !
c. Manger > .... des produits laitiers !
d. Dîner > .... au restaurant !
e. Goûter > .... ma spécialité !
f. Goûter > .... ce bon pain !
g. Travailler > .... bien !
h. Parler > .... moins vite !

Voir les corrigés page 122.

7. Choisissez le verbe qui convient et conjuguez-le à l'impératif, à la 2e personne du pluriel : *manger, prendre, boire, goûter, déjeuner, dîner, cuisiner, aller, apprécier.*

Livre élève p. 49 et p. 120

*Exemple : **Cuisinez** pour vos amis : ils adorent ça !*

a. .... de l'eau : c'est bon pour la santé !
b. À midi, ne .... pas au bureau !
c. .... ce gâteau au chocolat, il est délicieux !
d. Un conseil : .... au restaurant de mon ami italien !
e. Ne .... pas le menu : les plats sont très copieux.
f. .... équilibré !
g. .... « Au tire-bouchon » : c'est un bon restaurant !
h. .... la cuisine du chef !

Voir les corrigés page 122.

8. Aidez-vous du signe « + » (réponse positive) et du signe « - » (réponse négative) et choisissez l'expression qui convient : *moi non plus, moi non ou moi aussi.*

Livre élève p. 49

Exemple : Le lundi, je déjeune au restaurant universitaire.
*Réponse + : **Moi aussi !***

a. Paul n'aime pas déjeuner à la cantine !
Réponse - : ....
b. Je dîne souvent au restaurant le vendredi soir.
Réponse - : ....

c. Hubert ne prend pas de petit-déjeuner en semaine.
Réponse **-** : ....

d. Peter aime bien déjeuner à la cafétéria avec ses collègues.
Réponse **+** : ....

e. Nous aimons beaucoup la cuisine chinoise.
Réponse **-** : ....

f. Ma mère déteste le café !
Réponse **+** : ....

g. Hugo n'aime pas les desserts.
Réponse **-** : ....

Voir les corrigés page 122.

9. **Reliez les sujets afin de compléter les phrases.**

a. Ils ◆	◆ bois beaucoup de jus de fruits ?
b. Nous ◆	◆ bois de l'eau parce que j'ai soif !
c. Tu ◆	◆ boit peu de café.
d. Vous ◆	◆ boivent du thé à tous les repas.
e. Je ◆	◆ buvez du café le matin ?
f. Il ◆	◆ buvons beaucoup de sodas.

Voir les corrigés page 122.

10. **Complétez les phrases avec l'article qui convient : *de la, de l', du*.**

a. Pour faire une paëlla, achète .... riz et .... poisson.
b. Mange .... salade verte ou .... soupe !
c. En dessert, prends .... glace !
d. Je mets .... ail dans les tomates car j'adore l'ail !
e. Tu prends .... vin ? Moi, je prends .... eau.
f. Tu veux .... salade ?

Voir les corrigés page 122.

11. Complétez le texte avec : *de la, de l', des, du.*

Au petit-déjeuner, chaque pays a ses habitudes !

a. En France, on mange .... tartines : .... pain avec .... beurre et .... confiture.

b. En Allemagne, on mange .... « Brötchen », ... petits pains et .... jambon ; on mange aussi .... céréales.

c. En Espagne, on mange .... fruits et .... biscuits secs.

Voir les corrigés page 122.

12. Complétez les phrases avec les mots suivants : *le, la, l', un, une, les, du.*

Exemple : J'aime ..... chocolat (m) > J'aime le chocolat.

a. Monique n'aime pas .... fromage (m.).

b. Moi, j'aime beaucoup .... yaourts (m.).

c. Svetlana n'aime pas beaucoup .... frites (f.).

d. Paco, achète .... jus d'orange, s'il te plaît (m.) !

e. Mes enfants n'aiment pas .... salade (f.) !

f. Il fait chaud, prenez de ....eau (f.) !

g. Je voudrais .... verre d'eau, s'il vous plaît (m.).

h. Moi, je vais prendre .... fromage (m.).

Voir les corrigés page 122.

13. Complétez avec les mots suivants : *beaucoup d', beaucoup de, pas de, pas d', peu de, peu d'.*

Livre élève p. 51

*Exemple : J'adore le maïs mais je n'aime pas beaucoup les champignons ! S'il te plaît, achète **beaucoup de** maïs et **peu de** champignons !*

a. J'adore les chips ! S'il te plaît, achète .... paquets !

b. Je n'aime pas beaucoup les œufs. Je mange .... œufs.

c. J'aime beaucoup les oranges. Achetez .... oranges !

d. J'adore les gâteaux ! Je mange toujours .... gâteaux !

e. Je déteste le lait. N'achète .... lait pour moi, s'il te plaît.

f. Je n'aime pas beaucoup les pamplemousses. Je mange .... pamplemousses.

Voir les corrigés page 122.

14. Exprimez une quantité nulle avec *pas de* ou *pas d'*.

Exemple : - Est-ce qu'il y a du sucre dans ton café ?
- Non, il n'y a ***pas de*** *sucre dans mon café.*

a. Est-ce que tu manges de la viande ?
- Non, ...

b. Est-ce que vous buvez beaucoup de lait ?
- Non, ...

c. Est-ce que ta fille mange du poisson ?
- Non, ...

d. Est-ce qu'on boit du vin dans ce restaurant ?
- Non, ...

e. Est-ce que les Italiens mangent des pâtes au petit-déjeuner ?
- Non, ... !

f. Est-ce que vous mangez du fromage ?
- Non, ...

Voir les corrigés page 122.

15. Remettez les phrases dans l'ordre.

a. café. – matin, – de – bois – je – Le – beaucoup
....
....

b. Tous – Maria – les – de – jours, – beaucoup – fruits. – mange
....
....

c. boivent – sucrées. – Les – beaucoup – jeunes – boissons – de
....
....

d. mangent – Mes – ne – de – pas – viande. – parents
....
....

e. d' – je – Moi, – peu – mange – œufs.
....
....

f. ne – boit – On – d' – alcool. – beaucoup – pas
....
....

Voir les corrigés page 122.

16. **Complétez ce texte avec les mots suivants : courses, plats, magasins, fromager, boulangerie, boucherie, poissonnerie, épicerie, marché, menu.**

En France, on fait ses .... alimentaires au supermarché ou au .... On peut aussi faire ses courses dans des .... d'alimentation : on achète alors le pain à la ...., les pâtes à l' ...., le poisson à la ...., la viande à la .... et le fromage chez le .... ! Quand on va au restaurant, c'est très agréable, on ne fait pas de courses du tout ! On peut choisir son repas à la carte ou prendre un .... et prendre un, deux et même trois .... !

Voir les corrigés page 122.

17. **Reliez les mots à leur définition.**

a. La cuisine	◆	◆	C'est l'action de préparer des aliments.
b. La gastronomie	◆	◆	C'est l'action de se nourrir.
c. L'alimentation	◆	◆	C'est l'art de bien manger.

Voir les corrigés page 122.

18. **Pour chaque mot, cochez le son que vous entendez : [ɛ̃] ou [ɑ̃].**

a. Orange
☐ [ɛ̃]
☐ [ɑ̃]

b. Pain
☐ [ɛ̃]
☐ [ɑ̃]

c. Viande
☐ [ɛ̃]
☐ [ɑ̃]

d. Cantine
☐ [ɛ̃]
☐ [ɑ̃]

e. Boulangerie
☐ [ɛ̃]
☐ [ɑ̃]

f. Magasin
☐ [ɛ̃]
☐ [ɑ̃]

g. Restaurant
☐ [ɛ̃]
☐ [ɑ̃]

h. Commande
☐ [ɛ̃]
☐ [ɑ̃]

i. Matin
☐ [ɛ̃]
☐ [ɑ̃]

Voir les corrigés page 122.

19. **Compréhension écrite. Lisez les menus et les descriptions des personnes. Cochez ensuite le menu correspondant aux goûts de chaque personne.**

Menu A.

Restaurant *Chez Loulou*
Menu Bollywood
Soupe du jour
Poulet épicé grillé, servi avec des légumes et du riz
Glace à la mangue

Menu B.

Restaurant *Chez Loulou*
Menu Hollywood
Salade exotique (salade verte, maïs, jambon, fromage, ananas)
Hamburger maison servi avec des frites
Cheese cake

Menu C.

Restaurant *Chez Loulou*
Menu Bangkok
Quiche végétarienne
Légumes sautés au curry, servis avec du riz
Salade de fruits exotiques

a. Milo aime manger rapidement. Il mange peu de produits frais : peu de légumes et peu de fruits. Il adore les pâtisseries. Il mange des frites et des pâtes presque tous les jours !

☐ Menu A ☐ Menu B ☐ Menu C

b. Chiemi est végétarienne. Elle ne mange pas de viande. Son repas préféré, c'est une soupe japonaise, une grande salade avec beaucoup de crudités, et pour le dessert des fruits ou un yaourt.

☐ Menu A ☐ Menu B ☐ Menu C

c. Andrew n'est pas difficile : il mange de tout ! Il aime beaucoup la viande mais aussi le poisson et les légumes. Il mange beaucoup de pâtes et de riz parce qu'il fait beaucoup de sport. Il aime bien la cuisine épicée.

☐ Menu A ☐ Menu B ☐ Menu C

Voir les corrigés page 122.

20. **Expression écrite. Quel est votre restaurant préféré dans votre ville ? Conseillez un restaurant à vos amis.**

a. Décrivez-le : son nom, le type de cuisine (française, exotique, chinoise, etc).

b. Expliquez pourquoi vous aimez ce restaurant.

c. Conseillez le restaurant à vos amis (attention : utilisez l'impératif).

Voir les corrigés page 122.

\\ UNITÉ 5 \\

On s'installe !

1. Associez une action à une pièce de la maison.

a. Je dors ◆	◆ dans la chambre.
b. Je prends une douche ◆	◆ dans la cuisine.
c. Je reçois mes amis ◆	◆ dans la salle de bains.
d. Je gare la voiture ◆	◆ dans le bureau.
e. Je fais mes comptes et mon courrier ◆	◆ dans le garage.
f. Je prépare le repas ◆	◆ dans le jardin.
g. Je profite du soleil ◆	◆ dans le salon.

Voir les corrigés page 122.

2. Associez les verbes et les noms.

a. s'installer ◆	◆ *l'expatriation*
b. déménager ◆	◆ l'habitation
c. décorer ◆	◆ l'installation
d. loger ◆	◆ la décoration
e. ranger ◆	◆ la location
f. louer ◆	◆ le déménagement
g. habiter ◆	◆ le logement
h. *s'expatrier* ◆	◆ le rangement

Voir les corrigés page 122.

3. Complétez les verbes au passé composé avec l'auxiliaire *avoir* ou *être* à la forme qui convient.

Livre élève p. 59

a. La semaine dernière, nous .... invité nos voisins marocains. Ils .... apporté une spécialité de leur pays : un tajine au poulet. Hum, quel régal ! On .... tout mangé.

b. En 2009, j'............ quitté la France et je .... parti aux États-Unis. D'abord, avec ma femme, on .... loué un appartement, mais maintenant, on est propriétaires.

c. Hier, mes parents .... venus ; ils .... visité ma nouvelle maison.

d. Clément et Henri .... allés au cinéma ; ils .... vu le dernier film de Guillaume Canet.

Voir les corrigés page 122.

On s'installe !

4. Cochez dans la liste le participe passé de chaque verbe.

a. partir
☐ pars
☐ parti
☐ partit

b. prendre
☐ pri
☐ pris
☐ prit

c. lire
☐ lu
☐ li
☐ lis

d. venir
☐ venu
☐ veni
☐ vient

e. être
☐ été
☐ eu
☐ sont

f. faire
☐ fait
☐ fais
☐ faites

g. avoir
☐ eu
☐ ont
☐ a

Voir les corrigés page 122.

5. Pour compléter le texte, conjuguez les verbes au passé composé.

Ça y est ! J'*(quitter)* .... mon appartement parisien, j'*(rendre)* .... les clés au propriétaire et je *(partir)* .... en Allemagne.

Là-bas, j'*(rencontrer)* .... d'autres étudiants étrangers et nous *(organiser)* .... une colocation. James *(faire)* .... un grand ménage, Livia *(décorer)* .... le salon et moi, j'*(ranger)* .... les cartons.

Nous *(inviter)* .... les voisins et les copains pour fêter notre installation. Ils *(rester)* .... tard dans la nuit !

Voir les corrigés page 122.

6. Remettez les phrases dans le bon ordre.

a. pas – fini. – Je – ai – n'

....

....

b. Tu – lu – n' – as – ce – pas – roman.

....

....

c. avons – jamais – Nous – fait – n' – de – ski.

....

....

d. Elle – pas – arrivée – est – à l'heure. – n'

....

....

Voir les corrigés page 123.

7. Complétez les verbes avec *é* ou *er*.

a. Il a achet............. une table et des chaises pour décor .... la salle à mang ....

b. Il faut mang.......... 5 fruits et légumes par jour pour rest .... en bonne santé.

c. Nous avons visit................ 7 appartements mais nous n'avons pas encore trouv .... le logement de nos rêves !

d. Il a déjà bien travaill............ mais il doit encore révis .... pour pass .... le DELF A1.

e. Pour déménag............. ses meubles, il a lou .... un camion.

f. Vous avez pay............. le loyer ? Non, j'ai oubli .... ; je dois envoy .... le chèque.

Voir les corrigés page 123.

8. Conjuguez les verbes au passé composé.

Exemple : Aujourd'hui, nous rentrons de vacances. Hier, nous ***sommes rentrés*** *de vacances.*

(Je range) .... les valises et *(je mets)* .... le linge sale dans la machine à laver. *(J'ouvre)* .... les fenêtres, *(je passe)* .... l'aspirateur et *(je fais)* .... les lits.

On s'installe !

Mon mari *(va)* .... au supermarché pour faire les courses. Les enfants *(invitent)* .... leurs copains, ils leur *(montrent)* .... les photos et ils leur *(donnent)* .... des cadeaux souvenirs. Le soir, nous *(sortons)* .... au restaurant pour fêter la fin des vacances !

Voir les corrigés page 123.

Livre élè
p. 59
et p. 123

9. Observez la photo et complétez les phrases avec les prépositions : *au-dessous, au-dessus, dans, à droite de, sur, entre.*

a. L'horloge est sur le mur, ... des couverts.

b. Les œufs sont .... la petite casserole noire et le grille-pain blanc.

c. Les grands couteaux sont .... un pot blanc.

d. Deux casseroles sont posées .... la plaque de cuisson.

e. Les verres sont rangés .... le placard.

f. Dans le placard, les assiettes sont .... des verres.

g. Il y a aussi des assiettes .... la grande casserole.

Voir les corrigés page 123.

10. **Complétez avec les prépositions de lieu suivantes : *dans, derrière, sous, au milieu de, devant, sur, entre.***

a. Rentre, ne reste pas .... la pluie !

b. Mets le beurre .... le frigo, s'il te plaît.

c. Ne passe pas ton temps .... la télévision !

d. Accroche le tableau .... les deux affiches.

e. Je te vois : tu es caché .... le rideau !

f. Installez bien le tapis, juste .... la pièce, s'il vous plaît.

g. Ne mets pas les pieds .... le fauteuil !

Voir les corrigés page 123.

Livre élève p. 120

11. **Transformez les phrases du singulier au pluriel ou du pluriel au singulier.**

*Exemple : Suivez-moi ! > **Suis-moi !***

a. Ne fumez pas ! > Ne .... pas !

b. Jette le papier dans la poubelle ! > ....
le papier dans la poubelle !

c. Attention ! Ne traverse pas ! > Attention ! Ne .... pas !

d. Allume l'ordinateur ! > ....
l'ordinateur !

e. Éteignez tous les téléphones portables ! > ....
tous les téléphones portables !

f. Ne bois pas ! > Ne .... pas !

Voir les corrigés page 123.

12. Transformez ces phrases avec *il faut* ou *il ne faut pas*.

*Exemples : Suivez-moi ! > **Il faut** me suivre.*
*Ne me suivez pas ! > **Il ne faut pas** me suivre.*

a. Ne fumez pas ! > ....

b. Jette le papier dans la poubelle ! > ....
le papier dans la poubelle.

c. Attention ! Ne traverse pas ! > Attention ! ....

d. Allume l'ordinateur ! > ....
l'ordinateur.

e. Éteignez tous les téléphones portables ! > ....
tous les téléphones portables.

f. Ne bois pas ! > ....

Voir les corrigés page 123.

13. Conjuguez le verbe *devoir* au présent de l'indicatif.

Livre élè
p. 61

*Exemple : Je **dois** mettre la table.*

a. Nous .... faire les valises.

b. Tu .... finir tes devoirs.

c. Vous .... balayer.

d. Il .... passer l'aspirateur.

e. Ils .... faire la vaisselle.

f. Elle .... repasser les chemises.

Voir les corrigés page 123.

14. Mettez ces phrases à la forme négative.

Livre élè
p. 61

*Exemple : Viens avec moi ! > **Ne viens pas** avec moi !*

a. Éteins la télévision ! .... la télévision !

b. Il faut lire ce texte. .... ce texte.

c. Vous devez faire le ménage ici. .... le ménage ici.

d. Faites du bruit ! .... de bruit !

....

....

e. Il faut rentrer avant minuit. .... avant minuit.

f. Tu dois ranger ta chambre maintenant. ....
ta chambre maintenant.

g. Finis ton assiette. .... ton assiette.

h. Il faut boire de l'eau. .... d'eau.

Voir les corrigés page 123.

15. **Écrivez cinq conseils pour progresser en français, en vous aidant des exemples.**

Voici quelques conseils pour être un bon colocataire :
Faites le ménage !
Cuisinez des bons plats.
Ne faites pas de bruit le soir.
Rangez le salon !

Exemple : Faites des exercices...

....

....

....

....

....

....

....

....

....

....

....

....

Voir les corrigés page 123.

On s'installe !

Livre élè
p. 61

16. **Associez les éléments de chaque colonne pour former des phrases comme dans l'exemple.**

a. *J'apprends le français* ◆	◆ pour acheter un nouvel ordinateur.
b. Ali fait des économies ◆	◆ pour découvrir d'autres cultures.
c. Lise invite ses amis ◆	◆ pour la fête du quartier.
d. Je veux aller à Paris ◆	◆ pour le déménagement.
e. Nous avons loué une maison à la campagne ◆	◆ pour les vacances.
f. Ils ont acheté des œufs et du beurre ◆	◆ pour préparer un gâteau.
g. Les cartons sont prêts ◆	◆ *pour travailler en France.*
h. Je voyage ◆	◆ pour voir la Tour Eiffel.

Voir les corrigés page 123.

17. **Complétez les phrases pour exprimer le but.**

a. Je prends des cours de français pour ....
....

b. Je vais à la salle de gymnastique pour ....
....

c. Je vais sur les réseaux sociaux pour ....
....

d. Je travaille pour ....
....

e. Je prépare un gâteau pour ....
....

f. Je vais à l'opéra pour ....
....

Voir les corrigés page 123.

18. Classez les mots suivants dans le tableau : cuisine, colocation, logement, chambre, appartement, étage, déménagement, maison.

Masculin : le, l'	Féminin : la
rez-de-chaussée	....
....	....
....	....
....	....
....	....

Voir les corrigés page 123.

DELF

19. Compréhension écrite. Cochez l'annonce qui correspond à la demande suivante.

Cherchons location à la montagne pour les vacances d'été ; grande famille mais petit budget ! Félix le chat nous accompagne !

- ☐ *Loue studio à la montagne ; 20 m², 900 € la semaine toutes charges comprises.*
- ☐ *À louer : maison face au Mont Blanc : 3 chambres et 2 salles de bains. 800 € la semaine au mois de juillet.*
- ☐ Grande maison familiale à louer ; à 5 minutes à pied de la mer et à 10 km de Marseille. 4 chambres, jardin avec piscine. 900 € les quinze jours.
- ☐ La montagne, c'est bien l'été aussi ! Appartement à louer ; animaux de compagnie interdits !
- ☐ *Location : un chalet de rêve à Courchevel pour des vacances où ski et neige riment avec plaisir ! 1500 € la semaine.*

Voir les corrigés page 123.

On s'installe !

20. Production écrite. Vous prêtez votre appartement à une amie française. Vous avez fait la liste des choses à faire. Vous lui envoyez un mail avec vos consignes (utilisez : l'impératif, *devoir* et il *faut*).

- Allumer l'électricité et le gaz
- Brancher la télévision
- Faire les courses : le frigo est vide !
- Arroser les plantes
- Nourrir le chat
- Ne pas utiliser le lave-vaisselle ; il est en panne.
- Ne pas fumer
- Prendre le courrier
- Rendre les clés à la gardienne de l'immeuble

Exemple : Objet : bienvenue chez moi !
Salut Anna,
Pour ton installation dans mon studio, d'abord il faut allumer l'électricité et le gaz.
Si tu veux regarder un film, tu ...
... Merci et bon séjour.
A bientôt.

....

....

....

....

....

....

....

....

....

....

....

Voir les corrigés page 123.

\\ UNITÉ 6 \\

Au fil du temps...

1. Complétez les phrases avec les mots suivants : moment, saisons, congés, temps libre, heures.

a. Il y a quatre .... dans une année.

b. Quand on ne travaille pas, on a du ....

c. Les vacances, ce sont des ....

d. Il y a 24 .... dans une journée.

e. Un temps court, c'est un ....

Voir les corrigés page 123.

2. Complétez les phrases avec les mots suivants : semestre, grandes vacances, été, rentrée, printemps, hiver.

a. En France, la .... est en septembre.

b. En France, les grandes vacances sont en ....

c. En France, les étudiants ont des examens à la fin de chaque ....

d. En France, on fait du ski surtout en ....

e. En France, au ...., il y a beaucoup de longs week-ends.

f. En France, pendant les ...., il y a beaucoup de monde sur les routes.

Voir les corrigés page 123.

3. Associez les heures aux phrases qui correspondent.

Livre élève p. 69

a. Il est minuit moins vingt-cinq.	◆	◆	0 h 00
b. Il est midi.	◆	◆	10 h 30
c. Il est vingt-trois heures vingt-cinq.	◆	◆	11 h 30
d. Il est huit heures moins le quart.	◆	◆	12 h 00
e. Il est onze heures et demie.	◆	◆	23 h 25
f. Il est sept heures quarante.	◆	◆	23 h 35
g. Il est minuit.	◆	◆	7 h 40
h. Il est dix heures trente.	◆	◆	7 h 45

Voir les corrigés page 123.

4. Transformez l'heure formelle en heure courante.

Exemple : dix-neuf heures trente-cinq > ***huit heures moins vingt-cinq***

a. Neuf heures cinquante : ....

b. Vingt et une heures vingt-cinq : ....

c. Douze heures dix : ....

d. Deux heures quinze : ....

e. Dix-sept heures trente : ....

f. Treize heures quarante : ....

g. Vingt-deux heures cinquante-cinq : ....

h. Zéro heure cinq : ....

Voir les corrigés page 123.

5. Cochez les deux propositions qui correspondent à la phrase.

a. - Il est 18H10.

- ☐ - À quelle heure tu as rendez-vous ?
- ☐ - Il est quelle heure ?
- ☐ - Vous avez l'heure, s'il vous plaît ?

b. - Vous êtes libre à 15 h ?

- ☐ - Oui, c'est possible.
- ☐ - Excusez-moi, il est quelle heure ?
- ☐ - Non, désolé, je ne peux pas.

c. - Elle commence à 10 h 30.

- ☐ - La présentation commence à quelle heure ?
- ☐ - Il est en retard ?
- ☐ - La réunion est à quelle heure ?

d. - Quand est-ce que vous êtes libre ?

- ☐ - Et bien, vendredi soir.
- ☐ - Non, je suis désolé.
- ☐ - À 19 h. C'est d'accord ?

e. - Oui, à midi, si vous voulez.

- ☐ - Vous êtes libre vendredi ?
- ☐ - Quand est-ce que c'est possible ?
- ☐ - Jeudi, c'est possible ?

Voir les corrigés page 123.

6. Reliez chaque objet à un verbe.

a. un lit	◆	◆	s'habiller
b. une brosse à cheveux	◆	◆	se coiffer
c. un réveil	◆	◆	se coucher
d. un rasoir	◆	◆	se laver
e. un rouge à lèvre	◆	◆	se maquiller
f. des vêtements	◆	◆	se raser
g. un savon	◆	◆	se réveiller

Voir les corrigés page 123.

7. Cochez les bonnes réponses. Attention, plusieurs réponses possibles !

Livre élève p. 67

a. La fête nationale française se passe ..... juillet.
- ☐ au mois de
- ☐ en
- ☐ au

b. ...... été, il fait très chaud.
- ☐ au mois de
- ☐ en
- ☐ au

c. La rentrée des classes est ..... septembre.
- ☐ au mois de
- ☐ en
- ☐ au

d. Les fleurs poussent ..... printemps.
- ☐ au mois de
- ☐ en
- ☐ au

e. Je vais souvent en montagne ..... hiver.
- ☐ au mois de
- ☐ en
- ☐ au

f. ..... automne, les feuilles des arbres tombent.
- ☐ au mois de
- ☐ en
- ☐ au

g. ..... décembre, il y a les fêtes de fin d'année.
- ☐ au mois de
- ☐ en
- ☐ au

Voir les corrigés page 123.

Au fil du temps...

8. Remettez les phrases dans l'ordre.

a. jamais – Nous – n' – opéra. – à – allons – l'

b. de la cuisine. – fait – souvent – Samir

c. rarement – amis – à – vont – la – montagne. – Mes

d. fait – les – soirs. – musique – Fatoumata – de – tous – la – mardis

e. elle – de – ne – D' – café. – habitude, – boit – pas

f. français – en – parlons – français ! – Nous – toujours – de – cours

Voir les corrigés page 123.

9. Complétez les phrases : conjuguez le verbe *pouvoir*.

Livre élè
p. 69

a. Je suis désolée, mais je ne .... pas, demain.
b. Mes grands-parents ne .... plus conduire.
c. Tu .... me téléphoner ce soir ?
d. Nicolas et moi .... venir plus tard, si tu préfères.
e. Mon colocataire ne .... pas parler doucement.
f. Vous .... venir vendredi à 14 heures ?

Voir les corrigés page 123.

10. **Regardez l'emploi du temps habituel de Johanna puis complétez les phrases avec les expressions suivantes :**

chaque vendredi / le dimanche / trois fois par semaine / une fois par semaine / tous les mardis / deux fois par semaine

	Lundi	Mardi	Mercredi	Jeudi	Vendredi	Samedi	Dimanche
8h-9h			Réunion				
9h-10h					Réunion		
10h-11h						Yoga	
11h-12h		Réunion					
12h-13h	Piscine			Piscine			Déjeuner maman
13h-14h							
14h-15h							
15h-16h							
16h-17h		Cours d'allemand					
17h-18h							
18h-19h					Cinéma		

a. Johanna a des réunions ....

b. Elle prend un cours d'allemand ....

c. Elle fait de la natation ....

d. Elle déjeune chez sa mère ....

e. Elle va au cinéma ....

f. Elle fait du yoga ....

Voir les corrigés page 123.

11. **Complétez les phrases avec le verbe *prendre* au présent de l'indicatif.**

Livre élève p. 129

a. Nous .... rarement l'avion.

b. Pourquoi est-ce que vous ne .... pas votre chien avec vous ?

c. Ma sœur ne .... jamais le taxi

d. Je .... du thé au petit déjeuner.

e. Tu .... un rendez-vous chez le dentiste ?

f. Après le travail, ils .... souvent l'apéritif tous ensemble.

Voir les corrigés page 124.

Au fil du temps...

Livre élè
p. 124

12. *Pendant, de, à, entre, jusqu'à, vers, à partir de* ? Choisissez la réponse correcte !

a. Je travaille .... 19h. On se voit après si tu veux.

b. Les enfants vont à l'école .... lundi prochain.

c. Nous avons une réunion .... 10h et 13h30.

d. Elle n'est pas libre à 17h : elle est au yoga ....
deux heures, de 16h à 18h.

e. Le film commence .... 18h50 précises.

f. Tu as ton cours de piano .... 17h, une heure, ... 17h
.... 18h, c'est ça ?

g. Je ne sais pas exactement. Je suis arrivée .... 21h.

h. Je ne suis pas du tout sortie .... la journée !

Voir les corrigés page 124.

Livre élè
p. 124

13. Qui, dans cette famille, va souvent au théâtre ? Associez une fréquence à chaque phrase.

a. Je déteste le théâtre. Je n'y vais pas. ◆	◆ Régulièrement
b. Mon oncle va au théâtre tous les trimestres. ◆	◆ Parfois
c. Mon cousin va au théâtre environ une fois par mois. ◆	◆ Souvent
d. Ma sœur va au théâtre une fois par an. ◆	◆ Jamais
e. Ma grand-mère va au théâtre tous les week-ends. ◆	◆ Rarement
f. Les seules sorties de mes parents ? Le théâtre ! ◆	◆ Toujours

Voir les corrigés page 124.

14. Complétez le tableau en conjugant les verbes au présent.

Je sors	....	....	....
....	Tu pars	....	....
....	....	Il finit	Il choisit
....	....	....	Nous choisissons
....	Vous partez	....	....
Ils sortent	....	Ils finissent	....

Voir les corrigés page 124.

15. Choisissez le bon verbe.

a. Tu ..... le menu à 19 euros ou le menu à 23 euros ?
☐ choisissent
☐ choisis
☐ choisit

b. Ce soir, je ne ..... pas !
☐ sors
☐ sortons
☐ sort

c. Vous ..... votre travail à quelle heure ?
☐ finissent
☐ finissons
☐ finissez

d. Avec Julia, nous ..... à Amsterdam ce week-end.
☐ part
☐ partez
☐ partons

e. Je ..... beaucoup avant de prendre une décision.
☐ réfléchissons
☐ réfléchis
☐ réfléchit

f. Axel ..... en vacances au mois d'août.
☐ pars
☐ partent
☐ part

g. Est-ce que vous ..... parfois pendant la semaine ?
☐ sortez
☐ sortons
☐ sors

Voir les corrigés page 124.

Au fil du temps...

Livre élève p. 121

16. Conjuguez les verbes entre parenthèses.

a. Tu *(se promener)* .... souvent le week-end ?
b. Mes enfants *(se coucher)* .... en général à 20 h 30.
c. Est-ce que vous *(se lever)* .... tôt le dimanche ?
d. Emma *(se maquiller)* .... beaucoup trop !
e. J'habite au Canada depuis 3 mois, et je *(s'habituer)* .... très bien à ma nouvelle vie.
f. Aka et moi, nous *(se préparer)* .... très vite le matin.
g. Tu *(se dépêcher)* .... souvent le matin ?

Voir les corrigés page 124.

17. Répondez par « *Non...* », comme dans l'exemple.

Exemple : Vous vous levez à 6 h 30 ? > ***Non, je ne me lève pas*** *à 6 h 30,* ***je me lève*** *à 7 h 30 !*

a. Samedi prochain, vous vous promenez en ville ?
Non, nous .... dimanche.
b. Sylvia s'habille comme ça tous les jours ?
Non, elle .... pour sortir.
c. Tu te rases tous les matins ?
Non, je .... un jour sur deux.
d. Ils se couchent tard pendant la semaine ?
Non, ils .... seulement le week-end.
e. En général, vous vous lavez le soir ?
Non, en général, nous .... le matin.
f. Vos enfants se reposent le matin ?
Non, ils .... l'après-midi.

Voir les corrigés page 124.

18. **Pour raconter des petites histoires, transformez les phrases comme dans l'exemple.**

Livre élève p. 71

Exemple : Hier matin avec Romain : 08 h 25 : rater le bus – 08h10 : rencontrer un copain – 08h55 : arriver en retard.
*> **D'abord**, Romain a rencontré un copain, **ensuite** il a raté le bus. **Enfin**, il est arrivé en retard.*

a. Une soirée habituelle avec Isabelle : 19 h 40 : prendre un bain – 22h10 : lire un bon livre – 19 h : rentrer chez elle – 20 h 15 : préparer son dîner.

....

....

....

b. Hier soir avec Édouard : 19 h 30 : prendre l'apéritif avec son ami – 21h : diner au restaurant - 18 h 30 : téléphoner à Nathan.

....

....

....

c. La vie d'Emily : 1986 : naître à Seattle - 2011 : trouver du travail à Boston - 2006 : déménager en Californie.

....

....

....

d. Généralement, avec Clément : lundi : remarquer une jolie fille - mercredi : parler avec elle - vendredi : envoyer des fleurs - samedi : remarquer une autre jolie fille !

....

....

....

Voir les corrigés page 124.

19. **Indiquez les liaisons dans ces phrases. Choisissez la réponse correcte : *n, t, z, rien*.**

a. Mon /........../ amie Alice est / ..../ en vacances.

b. Vous /........../ allez / .... / en / ..../ Australie ?

c. Tu dois /........../ être content de vivre sans / ..../ elle.

d. Il est toujours /........../ en / ..../ avance.

e. C'est /........../ un grand / ..../ ami.

f. Eva et /........../ Albert / ..../ adorent les / ..../ animaux.

Voir les corrigés page 124.

Au fil du temps...

20. Compréhension écrite. Observez le document et cochez les bonnes réponses.

Jeudi	Vendredi	Samedi	Dimanche
18:15 jeu **Question pour un champion**	18:40 dessin animé **Les Simpsons**	18:45 météo	18:30 documentaire **Reportage animalier**
19:05 série **Plus belle la vie !**	19:30 divertissement **Carré ViiiP**	18:50 jeu **En toutes lettres**	19:55 loto
20:00 journal	20:00 journal	20:00 journal	20:00 journal
20:50 cinéma **Intouchables** *film français*	20:45 divertissement **N'oubliez pas les paroles !**	20:50 magazine **Enquête d'action**	20:55 documentaire **L'univers du luxe**

a. Ce document est :
☐ un programme de télévision
☐ un programme de cinéma
☐ une publicité

b. On peut regarder le journal :
☐ trois fois par semaine
☐ tous les jours
☐ le week-end

c. J'adore les documentaires. Quel soir je peux regarder la télévision ?
☐ deux fois par semaine
☐ le samedi
☐ le dimanche

d. Quel jour et à quelle heure est-ce que je peux regarder une série ?
☐ lundi, à 19h30
☐ lundi, à 19h05
☐ jeudi, à 19h05

e. Combien de temps dure la météo ?
☐ dix minutes
☐ quinze minutes
☐ cinq minutes

Voir les corrigés page 124.

21. Compréhension écrite. Observez le document et cochez les bonnes réponses.

L'apéro francophone !!

Nouveau à Strasbourg :
chaque vendredi, à partir du 18 janvier, l'association « Pratiquons ! » propose un nouveau rendez-vous. L'objectif est de réunir des personnes étrangères et françaises pour les aider à pratiquer le français. On peut parler de tout, échanger sur sa culture, ses habitudes, ses différences, dans l'ambiance chaleureuse du Café Branché.

L'apéritif commence vers 18h30, et l'association organise la rencontre jusqu'à 21h30. Après, c'est à vous de continuer !

Pour plus de renseignements, téléphonez à l'association « Pratiquons » : 03 12 54 28 93
Adresse : Café Branché, 11 place aux herbes, à Strasbourg.

Le journal de l'est – le 16/09/2012

a. Ce document est :
- ☐ une petite annonce
- ☐ un message personnel
- ☐ un article de journal

b. La proposition concerne :
- ☐ les personnes étrangères
- ☐ les Français
- ☐ tout le monde

c. Cet événement se passe :
- ☐ seulement une fois
- ☐ une fois par mois
- ☐ une fois par semaine

d. Cet événement se passe :
- ☐ dans une école
- ☐ dans un café
- ☐ à l'association « Pratiquons »

e. Les personnes se rencontrent pour :
- ☐ parler français
- ☐ rencontrer des nouveaux amis
- ☐ découvrir les traditions françaises

f. La rencontre finit :
- ☐ à 21h30
- ☐ quand vous voulez !
- ☐ vers 18h30

Voir les corrigés page 124.

22. Production écrite. À partir des informations suivantes, racontez la journée habituelle de Sylvain.

- 6 heures : Sylvain se réveille.
- 7 heures : il se lave et s'habille.
- 8 heures : il part au travail en vélo.
- 13 heures : il déjeune au self avec des collègues.
- 20 heures : il mange en regardant la télévision.
- 23 heures : il se couche.

....

....

....

....

....

....

....

....

....

....

....

....

....

....

....

Voir les corrigés page 124.

\\ UNITÉ 7 \\

En ville !

1. Remettez les lettres dans l'ordre pour retrouver les mots. Attention : la première lettre du mot est la lettre en gras.

*Exemple : E **R** U : RUE*

a. A E **G** R : ....

b. E L **V** L I : ....

c. **A** H R I E E C T U T R C : ....

d. M A T I I R N E O **P** : ....

e. T N I É R **I** R E I A : ....

f. N T I Â M **B** E T : ....

g. O S N T A R R **T** P : ....

h. T É **M** O R : ....

Voir les corrigés page 124.

2. Associez le lieu à sa définition : un lycée, un parc, la mairie, la gare, la poste, une banque, l'office du tourisme.

*Exemple : On y va pour étudier : **une université**.*

a. On y va pour se promener : ....

b. On y va pour envoyer un colis : ....

c. On y va pour demander des renseignements sur une ville : ....

d. On y va pour faire des démarches administratives : ....

e. On y va pour prendre le train : ....

f. On y va pour retirer ou déposer de l'argent : ....

g. On y va pour étudier, de 15 à 18 ans : ....

Voir les corrigés page 124.

En ville !

3. Faites une phrase avec les deux éléments donnés. Utilisez *il y a* et *c'est*.

Exemple : une association / la « Croix Rouge »
*> Dans mon quartier, **il y a** une association : **c'est** l'association la « Croix Rouge ».*

a. église / « Saint-Louis ». > Dans mon quartier, ...

....

b. cinéma / « Alain Resnais ». > Dans mon quartier, ...

....

c. boulangerie / « Au pain d'or ». > Dans mon quartier, ...

....

d. café / « Aux douceurs ». > Dans mon quartier, ...

....

e. librairie / « Compagnie ». > Dans mon quartier, ...

....

f. magasin de vêtements / « Zora ». > Dans mon quartier, ...

....

Voir les corrigés page 124.

4. Cochez la réponse pour compléter les phrases.

Exemple : En Asie, pendant la saison de pluies, ... beaucoup.
☒ il pleut ☐ il neige ☐ il y a du soleil

a. J'aime l'hiver à Montréal : tout est blanc parce qu' ..... .
☐ il y a du soleil
☐ il neige
☐ il pleut

b. J'aime l'été à Barcelone. Là-bas, on peut passer nos soirées dehors parce qu' ..... .
☐ il fait froid
☐ il fait très froid
☐ il fait chaud

c. Ici, j'ai toujours un parapluie parce qu' ..... .
☐ il fait froid
☐ il pleut
☐ il fait beau

d. Je porte des vêtements chauds parce qu' ..... .
☐ il fait beau
☐ il fait très chaud
☐ il fait très froid

e. Il ne faut pas aller à la montagne quand ..... . C'est dangereux.
☐ il ne fait pas beau
☐ il fait beau
☐ il fait chaud

f. Ouvre la fenêtre ! Il y a du soleil et .... !
☐ il pleut
☐ il ne fait pas froid
☐ il ne fait pas chaud

Voir les corrigés page 124.

Livre élève p. 77

5. **Mettez les phrases à la forme négative.**

*Exemple : Il y a un château. > **Il n'y a pas de** château.*

a. Il y a des cafés. ....

b. Il y a une école. ....

c. Il y a un théâtre. ....

d. Il y a des voitures. ....

e. Il y a un lycée. ....

f. Il y a deux pharmacies. ....

g. Il y a un fromager. ....

h. Il y a une épicerie. ....

Voir les corrigés page 124.

Livre élève p. 77 et p. 119

6. **Utilisez un nom et un adjectif pour compléter ces phrases. Attention : accordez le nom et l'adjectif et pensez à la place de l'adjectif !**

Exemple : La Tour Eiffel ? C'est ..... (tour / grande)
*La Tour Eiffel ? C'est **une grande tour** !*

a. Mon entreprise ? C'est .... ! (entreprise / dynamique)

b. La Dune du Pyla près d'Arcachon ? C'est .... ! (lieu / magnifique)

c. Les écoles de commerce ? Ce sont .... ! (école / international)

d. Le Café Flore ? C'est .... ! (café / célèbre)
e. Le Marais à Paris ? C'est .... ! (quartier / animé)
f. Montréal ? C'est .... ! (ville / agréable)
g. Les temples d'Angkor au Cambodge ? Ce sont .... ! (monument / très ancien)
h. Istanbul ? C'est .... ! (ville / beau)

Voir les corrigés page 124.

7. **Complétez le texte avec les mots suivants :**

en métro / à pied / en train / en autobus / en avion / à vélo

Darcy habite à Melbourne. Il n'aime pas les transports en commun : il va au travail en voiture ou .... Quand il fait beau, il préfère marcher, il y va .... Il y a une gare près de chez lui. Souvent, il va à Sydney chez sa sœur .... Il y a aussi un aéroport international à Melbourne : l'année dernière, il est allé à Paris .... Là-bas, il a beaucoup marché et il a visité la ville .... La ville est grande, pour aller plus vite, il a aussi voyagé ....

Voir les corrigés page 124.

8. **Répondez aux questions en remplaçant les mots soulignés par le pronom *y*. Pensez à modifier le sujet de la phrase comme dans l'exemple !**

Livre élè
p. 79

Exemple : - Est-ce que vous habitez à Madrid depuis longtemps ?
- Oui, nous y habitons depuis longtemps.

a. - Est-ce qu'on va au cinéma ce soir ?
- Oui, ... !

b. - Est-ce que tu vas chez Steven ce week-end ?
- Oui, ...

c. - Est-ce que les amies de Laura sont à la mer ?
- Oui, ...

d. - Est-ce que Delna et Bobby habitent à Bombay ?
- Non, ...

e. - Est-ce que Walter est en vacances en Italie ?

- Oui, ...

f. - Est-ce que Jeanne travaille au Cap Vert ?

- Non, ...

Voir les corrigés page 125.

9. **Associez les éléments pour former des phrases qui donnent des indications. Pour certains verbes, plusieurs réponses sont possibles.**

a. Prendre
☐ la première rue à droite
☐ les escaliers
☐ dans la rue

b. Continuer
☐ tout droit
☐ la place
☐ le pont

c. Aller
☐ à gauche
☐ à droite
☐ la première rue à droite

d. Descendre
☐ les escaliers
☐ la place
☐ le pont

e. Tourner
☐ à gauche
☐ à droite
☐ la première rue à droite

f. Monter
☐ les escaliers
☐ tout droit
☐ la place

g. Traverser
☐ la rue
☐ le pont
☐ la place

Voir les corrigés page 125.

En ville !

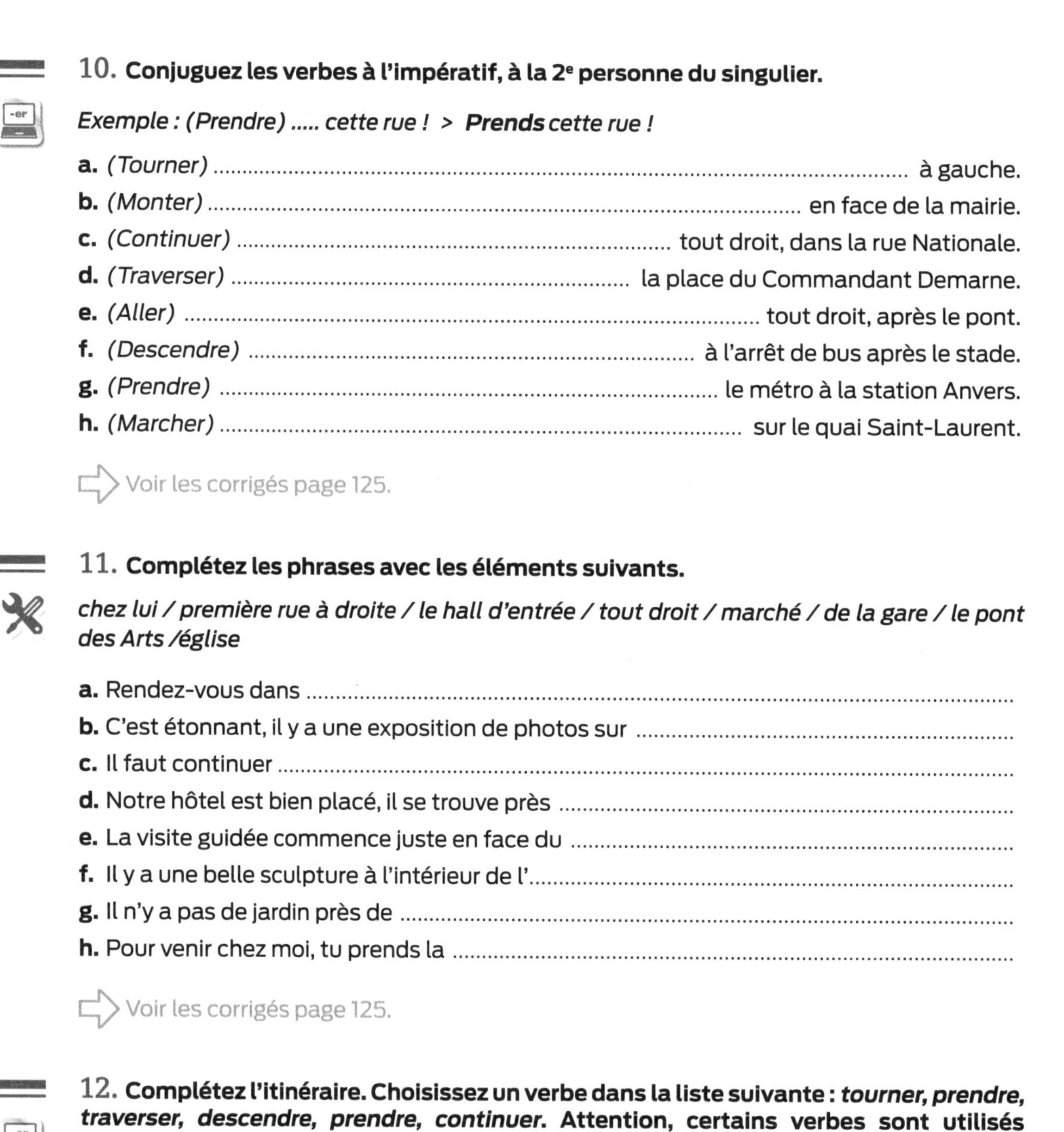

10. Conjuguez les verbes à l'impératif, à la 2e personne du singulier.

*Exemple : (Prendre) ..... cette rue ! > **Prends** cette rue !*

a. *(Tourner)* .... à gauche.
b. *(Monter)* .... en face de la mairie.
c. *(Continuer)* .... tout droit, dans la rue Nationale.
d. *(Traverser)* .... la place du Commandant Demarne.
e. *(Aller)* .... tout droit, après le pont.
f. *(Descendre)* .... à l'arrêt de bus après le stade.
g. *(Prendre)* .... le métro à la station Anvers.
h. *(Marcher)* .... sur le quai Saint-Laurent.

Voir les corrigés page 125.

11. Complétez les phrases avec les éléments suivants.

chez lui / première rue à droite / le hall d'entrée / tout droit / marché / de la gare / le pont des Arts /église

a. Rendez-vous dans ....
b. C'est étonnant, il y a une exposition de photos sur ....
c. Il faut continuer ....
d. Notre hôtel est bien placé, il se trouve près ....
e. La visite guidée commence juste en face du ....
f. Il y a une belle sculpture à l'intérieur de l'..
g. Il n'y a pas de jardin près de ....
h. Pour venir chez moi, tu prends la ....

Voir les corrigés page 125.

12. Complétez l'itinéraire. Choisissez un verbe dans la liste suivante : *tourner, prendre, traverser, descendre, prendre, continuer*. Attention, certains verbes sont utilisés plusieurs fois. Conjuguez-le à l'impératif, à la 2e personne du pluriel.

J'habite dans la rue Carnot, en face de la piscine. Pour venir chez moi, c'est facile. .... le boulevard Gambetta. .... tout droit sur le boulevard

(sur 200 mètres). .... à gauche, dans la rue Génissieu, puis .... à droite, dans la rue Lakanal. .... la place Championnet. .... les escaliers puis .... la troisième rue à droite. C'est là, au numéro 3 !

Voir les corrigés page 125.

Livre élève p. 123

13. Observez les mots en gras et cherchez une préposition de lieu de sens opposé.

*Exemple : Mon appartement est **au-dessus du** restaurant mais ma cave est **au-dessous du** restaurant.*

a. L'arrêt de bus est **près d'**ici mais l'arrêt de tramway est .... ici.

b. La cathédrale est **devant** l'office du tourisme et le musée est .... l'office du tourisme.

c. Le magasin de vêtements est **à droite** et la librairie est ....

d. La salle de spectacle est **à côté de** la mairie et le parc des exposition est .... la mairie.

e. La lampe est **sur** la table et le tabouret est .... la table.

f. Sa voiture est **à l'extérieur** de chez lui mais son vélo est ....

Voir les corrigés page 125.

Livre élève p. 81 et p. 119

14. Complétez avec l'adjectif démonstratif qui convient : *ce, cet, cette, ces.*

*Exemple : Ne prenez pas **cette** rue, prenez la prochaine rue à droite.*

a. Pour aller à la mairie, descends à .... arrêt de bus.

b. Rendez-vous sur .... place dans 5 minutes !

c. Tu as vu ? .... gens sont sur le toit de la maison !

d. .... appartement est très moderne.

e. Regardez .... jolie petite église : elle a plus de 200 ans !

f. .... fenêtres sont vraiment immenses !

g. Tu veux bien rentrer avec moi dans .... magasin ?

Voir les corrigés page 125.

En ville !

Livre élève p. 81 et p. 119

15. Complétez avec l'adjectif démonstratif qui convient : *ce, cet, cette, ces.*

Exemple : - On prend la rue à gauche là-bas ?
*– Non, non, ne prenez pas **cette** rue !*

a. — Le bus est là !
— Non, ... bus est complet, on prend le suivant !

b. — Tu connais .... fille ?
— Oui, elle a fait ses études avec moi.

c. — Tu as vu *Super 8* de Spielberg ?
— Oui, j'adore .... film !

d. — .... photos sont magnifiques !
— Ce sont des photos de Raymond Depardon.

e. — Tu es déjà allé en Inde ?
— Oui, ... pays est magnifique !

f. — J'aime beaucoup .... pièce.
— Moi aussi, elle est très claire.

g. — Tu vis ici depuis longtemps ?
— Non, j'ai acheté .... appartement l'année dernière.

Voir les corrigés page 125.

16. Remettez les questions dans l'ordre.

Exemple : la / est-ce que / ? / visite / quand / commence
> Quand est-ce que la visite commence ?

a. ouvert – musée – est – Quand – ? – le – est-ce que
....
....

b. est-ce que – l' – ? – se trouve – hôpital – Où
....
....

c. bibliothèque – ? – est-ce que – À quelle heure – ferme – la
....
....

d. nous – y – est-ce que – aller – ? – pouvons – Comment
....
....

e. l' – coûte – entrée – ? – est-ce que – Combien

....

....

f. comme transport – Qu' – ? – utilises – est-ce que – tu

....

....

g. tu – est-ce que – es – Où – ?

....

....

Voir les corrigés page 125.

17. Lisez la réponse puis complétez avec le pronom interrogatif qui convient : *comment, où, combien, quand.*

*Exemple : – Tu pars **quand** ?*
– Je pars ce soir.

a. — .... on peut trouver ce magazine ?
— Au bureau de tabac.

b. — Dominique et Michèle travaillent .... ?
— Tous les jours sauf le dimanche.

c. — La carte de transport coûte .... ?
— 30 euros par mois.

d. — L'ambassade de France est .... ?
— À côté de l'ambassade de Norvège.

e. — Nous pouvons y aller .... ?
— À pied ou en bus.

f. — Le secrétariat ferme .... ?
— Entre midi et une heure et demi.

g. — Je peux y aller .... ?
— Tu peux prendre la piste cyclable.

h. — Le billet d'entrée coûte .... ?
— 8 euros par personne.

Voir les corrigés page 125.

En ville !

18. Lisez les réponses et formulez des questions avec : *quand est-ce que, où est-ce que, combien est-ce que, comment, est-ce que,* pour connaître l'élément souligné.

Exemple : - ***Comment est-ce que*** *vous allez au travail ?*
– Je prends le métro pour aller au travail.

a. — ....
— La Maison de la Photographie se trouve dans le 4ᵉ arrondissement à Paris.

b. — ....
— Vous pouvez visiter le château tous les jours sauf le lundi.

c. — ....
— Le ticket d'entrée coûte 3 euros.

d. — ....
— Pour aller à la Sorbonne, vous pouvez prendre le bus ou le métro.

e. — ....
— La poste est en face de la banque.

f. — ....
— Nous sommes rue du Temple, près de la sortie de métro.

g. — ....
— Je pars à Amsterdam en juillet.

h. — ....
— Juliette va à la faculté à vélo.

Voir les corrigés page 125.

19. Compréhension écrite. Lisez ce document et répondez aux questions.

Musée de la photographie
5, place du Château - ANGERS

INFORMATIONS PRATIQUES

HORAIRES :
ouvert tous les jours
de 11 heures à 20 heures,
sauf le lundi et les jours fériés.

ACCÈS :
en bus : ligne 13, arrêt Saint-Jacques
en voiture : parking Saint-Jacques

TARIFS :

Entrée musée :
Plein tarif : **7 €**
Tarif-réduit (étudiants, demandeurs d'emploi) : **4 €**
Gratuit pour les enfants jusqu'à 8 ans

Visite guidée :
Plein tarif : **10 €**
Tarif-réduit (étudiants, demandeurs d'emploi) : **7 €**
Gratuit pour les enfants jusqu'à 8 ans

05

a. Ce document est :
☐ une petite annonce
☐ une brochure d'information
☐ une publicité

b. Le lieu décrit est :
☐ un château
☐ un musée
☐ un commerce

c. On peut y aller :
☐ en bus
☐ en métro
☐ en voiture

d. On ne peut pas visiter ce lieu :
☐ le lundi
☐ le dimanche
☐ les jours fériés

e. L'entrée du musée est gratuite pour :
☐ les enfants de moins de 8 ans
☐ les étudiants
☐ les demandeurs d'emploi

f. Pour un adulte, la visite guidée coûte :
☐ 10 €
☐ 4 €
☐ 7 €

Voir les corrigés page 125.

DELF

20. **Production écrite. Vous organisez une soirée dans votre nouveau logement. Vous écrivez un mail à vos amis : vous expliquez où vous habitez et vous donnez un itinéraire pour venir chez vous à pied.**

Voir les corrigés page 125.

Nos sorties...

1. Reliez une activité à un lieu pour faire des phrases.

a. Pour danser, ◆	◆ on va au café.
b. Pour écouter de la musique, ◆	◆ on va au cinéma.
c. Pour lire un roman, ◆	◆ on va au musée.
d. Pour voir un film, ◆	◆ on va au restaurant.
e. Pour dîner avec des amis, ◆	◆ on va au théâtre.
f. Pour voir une exposition, ◆	◆ on va dans la salle de concert.
g. Pour boire un verre, ◆	◆ on va en boîte de nuit.
h. Pour voir une pièce de théâtre, ◆	◆ on va à la bibliothèque.

Voir les corrigés page 125.

Livre élève p. 89

2. Complétez en conjuguant les verbes au futur proche.

Exemple : J'ai faim : on (manger)... au restaurant ? > J'ai faim : ***on va manger*** *au restaurant ?*

a. Vite, il faut se dépêcher, le film *(commencer)* ....

b. Pour leur mariage, ils *(organiser)* .... une grande fête.

c. J'ai un examen demain, je *(ne pas me coucher)* .... tard.

d. Samedi prochain, nous *(voir)* .... le concert de Florent Marchet.

e. Qu'est-ce que tu *(faire)* .... pour les vacances ?

f. Brrr, il fait froid, il *(neiger)* ....

g. Il est déjà 16 heures, vous *(rater)* .... l'avion !

Voir les corrigés page 125.

Nos sorties...

3. Quelle est l'activité préférée de ces personnes ?

a. Jean vient de s'acheter un nouvel appareil avec zoom.	Les voyages
b. Jules aime préparer des bons petits plats pour ses amis.	Le cinéma
c. Mathilde préfère le tango mais elle aime aussi la salsa.	La photographie
d. Myriam a lu tous les romans policiers de Jo Nesbo.	La peinture
e. Clément a fait le tour de l'Europe.	La musique
f. Vincent joue de la guitare et du saxophone.	La lecture
g. Elsa aime peindre des paysages.	La danse
h. Hervé adore les films de Jacques Audiard.	La cuisine

Voir les corrigés page 125.

4. Placez le bon signe pour dire si les personnes aiment (+) ou n'aiment pas (-).

Exemple : Cette pièce de théâtre me plaît beaucoup. > +

Cette pièce de théâtre me plaît beaucoup.	
Ce film est nul !	
Ces tableaux sont très laids.	
J'adore ce chanteur !	
Le spectacle m'a vraiment plu.	
Je m'ennuie : je rentre à la maison.	
Je trouve que c'est trop long.	
Je vais acheter leur CD.	
Quel concert ! Génial !	

Voir les corrigés page 125.

5. Conjuguez les verbes au présent.

Exemple : Il est tard : elle (devoir) rentrer.
*> Il est tard : elle **doit** rentrer.*

a. Elle est malade : elle *(ne pas pouvoir)* .... aller au festival des Vieilles Charrues.

b. Pour acheter une place au tarif réduit, vous *(devoir)* .... montrer votre carte d'étudiant.

c. On sort ce soir ; vous *(vouloir)* .... venir avec nous ?

d. D'accord, je *(vouloir)* .... bien.

e. Nous, nous sommes désolés ; nous *(ne pas pouvoir)* .... parce que nos parents nous rendent visite.

f. Elle a encore faim ? Est-ce qu'elle *(vouloir)* .... une part de gâteau ?

g. Tu as raison ; tu *(devoir)* .... travailler pour réussir ton examen.

h. Tu connais ce proverbe français : « quand on *(vouloir)* ...., on *(pouvoir)* .... » ?

i. Ils ont annulé le concert ; ils *(ne pas pouvoir)* .... jouer parce que le chanteur est malade. Ils *(devoir)* .... rembourser les spectateurs.

Voir les corrigés page 125.

6. Complétez le texte avec les verbes *pouvoir* ou *vouloir* conjugués au présent.

a. — Tu veux sortir avec nous ce soir ?
— Oui, je .... bien mais je ne .... pas : j'ai un examen demain.

b. Ici, vous ne .... pas fumer. Si vous .... fumer, il faut sortir.

c. — Tu .... du chocolat ?
— Non, je ne .... pas en manger : je suis malade.

d. Ce carton est très lourd, je ne .... pas le porter. Est-ce que vous .... bien m'aider ?

e. Ils ne .... pas aller danser ce soir car ils préfèrent voir un film au cinéma.

f. Elle n'est pas libre. Elle ne .... pas sortir ce soir.
g. Nous ne .... pas venir avec toi car nous n'aimons pas ce style de concert. Mais si tu ...., nous .... t'y conduire en voiture.
h. Qu'est-ce que tu .... regarder à la télévision ?

Voir les corrigés page 125.

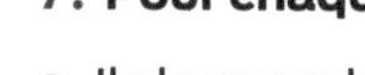

7. Pour chaque phrase, surlignez le mot qui correspond !

a. Ils la regardent tous les soirs : **la télévision, le soleil, le film.**
b. Je vais le visiter à Paris : **la Tour Eiffel, le Musée du Louvre, Notre-Dame.**
c. Nous allons le voir sur scène : **les musiciens, l'actrice, l'acteur.**
d. Nous les écoutons à la radio : **les informations, la météo, le spectacle.**
e. Tous les touristes la photographient : **le tableau, la Joconde, la peinture.**
f. Vous le lisez en classe : **le livre, le professeur, la lecture.**
g. Les enfants les aiment beaucoup : **la glace, le poulet, les frites.**
h. Les réalisateurs l'utilisent pour filmer : **l'appareil-photo, la caméra, les spectateurs.**
i. Tu vas les voir à la Berlinale de Berlin : **les films, le Mur, la tour de la télévision.**

Voir les corrigés page 125.

8. Complétez avec le verbe *croire* conjugué au présent.

Livre élèv
p. 91

Exemple : Tu ***crois*** *qu'il va venir ?*

a. Non, je ne .... pas.
b. Vous .... que cette actrice va gagner l'Oscar ?
c. Elles .... que Léon a raison.
d. Nous ne .... pas qu'ils vont aimer ce livre.
e. On .... connaître les gens mais on se trompe souvent !
f. Il .... que personne ne l'aime !
g. Ils .... qu'on va les accompagner.
h. Elle .... qu'il va pleuvoir.

Voir les corrigés page 126.

9. Surlignez l'intrus, c'est-à-dire le mot qui ne correspond pas.

a. Le théâtre : **la scène / l'actrice / le roman**

b. Le cinéma : **le réalisateur / le rideau / la caméra**

c. La musique : **le concert / la guitare / l'acteur**

d. La peinture : **l'orchestre / le tableau / le pinceau**

e. La lecture : **l'écrivain / le musicien / le livre**

Voir les corrigés page 126.

10. Pour chaque phrase, surlignez le pronom correct.

Livre élève p. 119

Exemple : Tu accompagnes Clément au cinéma ?
Oui, je ... accompagne. le / la / l' / les

a. — Vous connaissez cette actrice ?
— Oui, je **le** / **la** / **l'** / **les** connais.

b. — Vous voyez vos parents ce week-end ?
— Non, nous ne **le** / **la** /**l'** / **les** voyons pas ce week-end.

c. — Tu as lu le dernier roman de Franck Thilliez ?
— Oui, je **le** / **la** / **l'** / **les** ai lu.

d. — Vous allez visiter le musée Dali à Figueres ?
— Oui, nous allons **le** / **la** / **l'** / **les** visiter.

e. — Tu peux déposer les enfants à l'école ?
— Oui, je peux **le** / **la** / **l'** / **les** déposer.

f. — Tu aimes bien ces chansons ?
— Oui, oui, je **le** / **la** / **l'** / **les** aime beaucoup.

g. — Il regarde la télévision tous les soirs ?
— Non, il ne **le** / **la** / **l'**/ **les** regarde pas tous les soirs.

Voir les corrigés page 126.

Nos sorties...

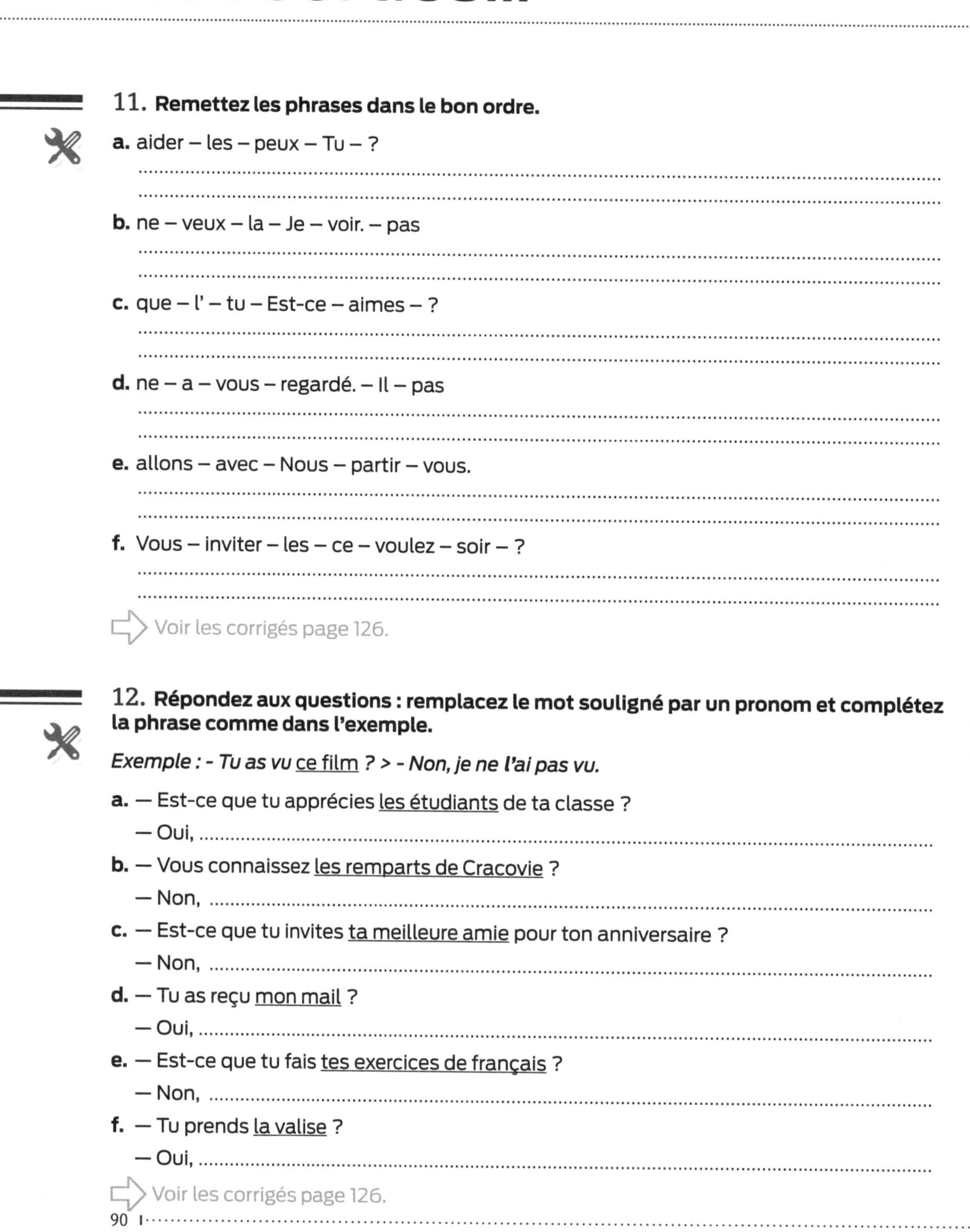

11. Remettez les phrases dans le bon ordre.

a. aider – les – peux – Tu – ?

....

....

b. ne – veux – la – Je – voir. – pas

....

....

c. que – l' – tu – Est-ce – aimes – ?

....

....

d. ne – a – vous – regardé. – Il – pas

....

....

e. allons – avec – Nous – partir – vous.

....

....

f. Vous – inviter – les – ce – voulez – soir – ?

....

....

Voir les corrigés page 126.

12. Répondez aux questions : remplacez le mot souligné par un pronom et complétez la phrase comme dans l'exemple.

Livre élèv p. 119

Exemple : - Tu as vu ce film ? > - Non, je ne l'ai pas vu.

a. — Est-ce que tu apprécies les étudiants de ta classe ?

— Oui, ...

b. — Vous connaissez les remparts de Cracovie ?

— Non, ...

c. — Est-ce que tu invites ta meilleure amie pour ton anniversaire ?

— Non, ...

d. — Tu as reçu mon mail ?

— Oui, ...

e. — Est-ce que tu fais tes exercices de français ?

— Non, ...

f. — Tu prends la valise ?

— Oui, ...

Voir les corrigés page 126.

....

....

13. Mettez les phrases à la forme négative comme dans l'exemple. Faites attention aux verbes et aux pronoms !

*Exemple : Nous, nous allons voir ce film. Mais vous, vous **n'allez pas voir** ce film.*

a. Lui, il va réussir son examen. Mais elle, ... son examen.

b. Moi, je vais me lever tôt. Mais toi, ... tôt.

c. Elle, elle va voir l'exposition de Picasso. Mais moi, ... l'exposition de Picasso.

d. Vous, vous allez visiter Varsovie. Mais nous, ... Cracovie.

e. Eux, ils vont sortir en boîte de nuit. Mais elles, ... en boîte de nuit.

f. Nous, nous allons prendre des cours de peinture. Mais lui, ... des cours de peinture.

g. Elles, elles vont s'amuser ce soir. Mais vous, ... ce soir.

h. Vous, vous allez rendre visite à vos parents. Mais eux, ... à leurs parents.

Voir les corrigés page 126.

14. Est-ce que la personne accepte ou refuse une invitation ? Cochez la bonne réponse.

Exemple : Désolée, je ne suis pas libre ! > ☐ Accepte ☒ Refuse

a. Avec plaisir !
☐ accepte
☐ refuse

b. Je regrette mais je vais chez Gabriel.
☐ refuse
☐ accepte

c. Je suis déjà prise !
☐ refuse
☐ accepte

d. Super ! Je te rejoins à quelle heure ?
☐ accepte
☐ refuse

e. D'accord, j'apporte le dessert ?
☐ accepte
☐ refuse

f. Une prochaine fois peut-être.
☐ refuse
☐ accepte

g. Je veux bien mais pas trop tard.
☐ accepte
☐ refuse

h. Pas de problème, j'arrive !
☐ accepte
☐ refuse

Voir les corrigés page 126.

Nos sorties...

15. **Faites des phrases comme dans l'exemple.**

Exemple : Andrew est débutant en français. Je (ne pas comprendre) .... .
> Andrew est débutant en français. Je ***ne le comprends pas.***

a. Camille déteste ce groupe. Elle *(ne pas supporter)* ....
....

b. La sonnerie de mon téléphone n'est pas assez forte. Je *(ne pas entendre)* ....
....

c. Invite les voisins à notre fête ! *(ne pas oublier)* .... !
....

d. Ces chaussures sont trop grandes pour moi. Je *(ne pas acheter)* ....
....

e. Nadia est fille au pair ; elle garde des enfants. L'après-midi, elle *(ne pas emmener)*
.... au parc.
....

f. Tu as ta clé ? Non, je *(ne plus trouver)* ....
....

Voir les corrigés page 126.

16. **« *é* », « *ez* » ou « *er* » ? Complétez les verbes par la terminaison qui convient !**

*Exemple : Va voir ce film ; tu vas l'aim**er**.*

a. Tu n'aimes pas chant............... ?
b. Il a détest............... la fin du roman.
c. Vous all............... dans .... toute la nuit ?
d. Qu'est-ce que vous av............... décid .... ?
e. Vous voul............... nous accompagn .... en ville ?
f. Non, je vais rentr............... Je suis fatigu ....
g. J'ai trop mang............... à midi. Je ne veux pas dîn .... ce soir.
h. Cet acteur a gagn............... le César du jeune espoir. Il va jou .... dans le prochain film de Cédric Klapisch.

Voir les corrigés page 126.

....

....

17. Classez les mots suivants dans le tableau selon que vous entendez le son [ø] ou le son [œ].

danseuse / coiffeur / peu / fauteuil / cheveux / beurre / seul / peur / déjeuner / leur / ordinateur / auteur

[ø]	[œ]
....	....
....	....
....	....
....	....
....	....
	....
	....

Voir les corrigés page 126.

Nos sorties...

18. Compréhension écrite. Observez les documents puis cochez les bonnes réponses.

a. Qui organise ce festival ?
- ☐ Les commerçants
- ☐ Les pompiers
- ☐ La mairie

b. Qu'est-ce qu'on ne peut pas faire à la fête du quartier ?
- ☐ Danser
- ☐ Peindre
- ☐ Regarder des films
- ☐ Écouter des histoires
- ☐ Voir des concerts

c. Est-ce qu'il faut payer un droit d'entrée ?
- ☐ Non
- ☐ Oui

d. Est-ce qu'on peut manger ?
- ☐ Oui
- ☐ Non

e. Est-ce qu'on peut aller au festival en métro ?
- ☐ Oui
- ☐ Non

Voir les corrigés page 126.

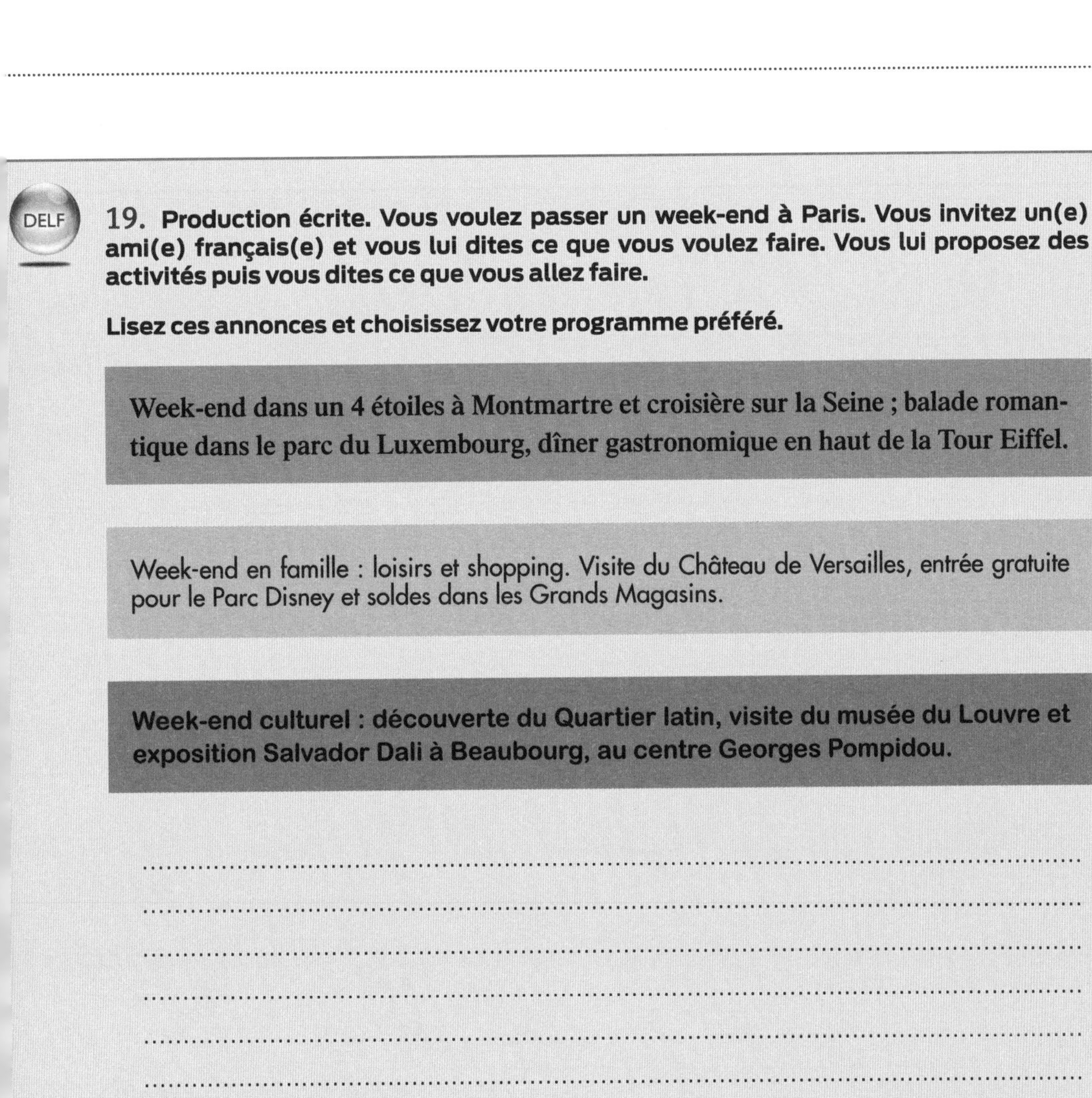

DELF

19. **Production écrite. Vous voulez passer un week-end à Paris. Vous invitez un(e) ami(e) français(e) et vous lui dites ce que vous voulez faire. Vous lui proposez des activités puis vous dites ce que vous allez faire.**

Lisez ces annonces et choisissez votre programme préféré.

Week-end dans un 4 étoiles à Montmartre et croisière sur la Seine ; balade romantique dans le parc du Luxembourg, dîner gastronomique en haut de la Tour Eiffel.

Week-end en famille : loisirs et shopping. Visite du Château de Versailles, entrée gratuite pour le Parc Disney et soldes dans les Grands Magasins.

Week-end culturel : découverte du Quartier latin, visite du musée du Louvre et exposition Salvador Dali à Beaubourg, au centre Georges Pompidou.

Nos sorties...

Voir les corrigés page 126.

\\ UNITÉ 9 \\

Enfin les vacances !

1. Classez les mots selon leur genre, masculin ou féminin.

santé / séjour / hébergement / pharmacie / billet / trajet / satisfaction / enregistrement

Masculin	Féminin
....	....
....	....
....	....
....	....
....	....

Voir les corrigés page 126.

2. Pour préparer un voyage : remettez les actions dans le bon ordre.

a. Préparer sa valise	◆	◆ 1
b. Partir	◆	◆ 2
c. Aller à l'aéroport	◆	◆ 3
d. Choisir une destination	◆	◆ 4
e. Enregistrer les bagages	◆	◆ 5
f. Acheter le billet d'avion	◆	◆ 6
g. Réserver un hébergement	◆	◆ 7

Voir les corrigés page 126.

3. Complétez ce texte à l'aide des mots suivants.

vol / passagers / billets / enregistrement / hébergement / départ / séjour / valise

Coucou ! Un petit mot avant le grand .... ! Nous sommes à l'aéroport dans la salle d'attente avec les autres .... Nous avons montré nos .... et nous avons laissé nos bagages à l' .... J'ai fini ma .... ce matin, juste avant de partir !

Elle est assez lourde, mais pour un .... d'un mois, c'est normal, non ? Nous avons trouvé un .... sympa dans le Guide du Routard : une auberge de jeunesse. Nous allons y rester quelques jours pour commencer. J'espère que le .... va bien se passer. À dans un mois, salut !

Voir les corrigés page 126.

4. Pour compléter les phrases, conjuguez le verbe *venir* au présent de l'indicatif.

Livre élè
p. 121

*Exemple : Est-ce que Gaspard **vient** de partir ?*

a. Flavia et moi, nous .... d'emménager ensemble.
b. Regarde, le facteur .... de passer !
c. Vous .... de parler au directeur ?
d. Émilie ? Elle .... d'avoir 22 ans.
e. Oui, ils .... de passer, mais ils sont repartis !
f. Tu .... de tomber malade, et tu restes chez toi, je comprends.
g. Je crois que Selah Sue .... de sortir un nouvel album.
h. Excusez-moi, je .... juste de me lever.

Voir les corrigés page 126.

5. Lisez la première phrase puis cochez la proposition qui correspond.

Livre élè
p. 97

a. - Bien sûr, pour combien de personnes ?
☐ Où se trouve la gare, s'il vous plait ?
☐ Il y a des places disponibles pour le TGV de 11h48 ?
☐ Est-ce qu'il y a la climatisation ?

b. - En chambre simple ou double ?
☐ Est-ce qu'il y a un accès Internet ?
☐ Il reste des places pour le train de 10h27 ?
☐ Je voudrais réserver pour une nuit.

c. - Oui, en pension complète ?
☐ Il reste des chambres pour le 8 mai ?
☐ Est-ce qu'on peut manger ?
☐ Je voudrais un billet pour Nice, s'il vous plaît.

d. - Il est à 3 minutes de la plage.

☐ Est-ce qu'il y a une piscine ?
☐ Est-ce que le séjour est « tout compris » ?
☐ Où se trouve le camping ?

e. - Bien sûr, je vais vous donner le code.

☐ Je voudrais un billet pour trois personnes.
☐ Est-ce qu'il y a un accès Internet ?
☐ Il reste des places libres ?

Voir les corrigés page 126.

6. Complétez le texte avec les éléments suivants.

vous voulez partir vers quelle heure ? / un aller simple ou un aller-retour ? / combien de personnes ? / Quand est-ce que vous voulez partir ? / en première classe ou deuxième classe ?

— Bonjour Monsieur. Je voudrais aller à Rennes, s'il vous plaît.

— Bonjour. Oui, c'est ....

— Un aller simple, s'il vous plaît.

— ....

— Nous partons le 25 octobre.

— Bien, ... Le matin, le soir ?

— Disons vers 11h, c'est possible ?

— Oui, bien sûr. Vous voulez voyager ....

— Euh, en seconde.

— Parfait, c'est un billet pour ....

— Nous sommes 2 adultes et 2 enfants de moins de 5 ans.

— Voilà. 4 places pour Rennes, le 25 octobre à 11h13, arrivée à 13h45. Cela fait 178 euros, Monsieur.

Voir les corrigés page 126.

Enfin les vacances !

7. Pour compléter ce texte, indiquez le logement de vacances de chaque personne :

gîte chez l'habitant / auberge de jeunesse / camping / hôtel

a. J'ai 19 ans et quand je voyage, j'adore rencontrer d'autres jeunes. Mais je n'ai pas beaucoup d'argent, en général, je dors dans une ....

b. Avec mon mari, nous partons rarement en voyage, mais nous voulons du confort. Quand nous visitons une ville, nous choisissons un bon ....

c. Nous partons toujours en famille, et nous adorons la nature. Nous aimons changer vraiment nos habitudes, et nous avons un petit budget. Nous allons toujours au ....

d. Moi, ce que j'aime pour les vacances, c'est rencontrer les habitants et vivre comme eux. Je passe souvent mes vacances dans un ....

Voir les corrigés page 126.

Livre élè
p. 121

8. Transformez les phrases du passé composé au passé récent comme dans l'exemple.

Exemple : Est-ce qu'ils sont partis ? > Est-ce qu'ils viennent de partir ?

a. Nous avons déménagé à Toulouse. ....

b. Il a passé ses examens. ....

c. Je suis allée chez le médecin parce que je tousse. ....

d. Monsieur Durand est sorti pour quelques minutes. ....

e. Tu as téléphoné à ton oncle ? ....

f. Vous êtes arrivé à Lyon. ....

g. Vos amis ont gagné un séjour d'une semaine dans un jeu télévisé. ....

h. Qu'est-ce que tu as dit ? ....

Voir les corrigés page 127.

9. Reliez les éléments suivants.

Livre élève p. 99

a. On marche avec	◆	◆	la bouche.
b. On regarde avec	◆	◆	la main.
c. On tient quelque chose avec	◆	◆	le cou.
d. On écoute avec	◆	◆	le nez.
e. On mange avec	◆	◆	les jambes.
f. On sent avec	◆	◆	les oreilles.
g. On tourne la tête avec	◆	◆	les pieds.
h. Au foot, on pousse le ballon avec	◆	◆	les yeux.

Voir les corrigés page 127.

10. Cochez la préposition qui convient.

*Exemple : Ça ne va pas ? Tu as mal **au** ventre ?*

a. Vous avez mal ... tête.
☐ au
☐ à la
☐ aux

b. Tu as mal ... cou.
☐ au
☐ à la
☐ aux

c. J'ai mal dormi : j'ai mal ... dos.
☐ au
☐ à la
☐ aux

d. Après la course, il a eu mal ... jambes.
☐ au
☐ à la
☐ aux

e. Je suis tombé au ski : j'ai mal ... jambe gauche.
☐ au
☐ à la
☐ aux

f. Elle s'est coupée hier : elle a très mal ... main.
☐ au
☐ à la
☐ aux

Voir les corrigés page 127.

11. Retrouvez la sensation de chaque personne : faim, chaud, soif, froid.

*Exemple : J'ai oublié de prendre mon pull, j'ai un peu **froid**.*

a. Naoko a ...., elle n'a pas mangé de toute la journée.

b. Il fait 35 degrés, j'ai trop ....

c. J'ai ...., je vais m'acheter une bouteille d'eau.
d. Dans le désert, il fait plus de 38 degrés dans la journée, on a vraiment ....
e. Ah, tu as dîné chez ta mère, tu n'as plus .... !
f. Je suis partie en montagne l'hiver dernier, j'ai eu très ....

Voir les corrigés page 127.

Livre élè p. 120

12. Conjuguez les verbes à l'impératif présent.

-er

a. Si vous avez trop chaud, *(retirer)* .... votre pull, *(ouvrir)* .... la fenêtre ou *(mettre)* .... la climatisation.
b. Si tu as faim, *(aller)* .... acheter un croissant, *(manger)* .... une banane ou *(prendre)* .... un morceau de gâteau.
c. Si vous avez froid *(allumer)* .... le chauffage et *(prendre)* .... ma veste !
d. Si tu veux venir avec moi, *(faire)* .... vite, *(prendre)* .... ta veste et *(monter)* .... dans la voiture tout de suite ! Et surtout, *(ne pas oublier)* .... ton sac !

Voir les corrigés page 127.

13. Complétez le dialogue avec les éléments suivants :

comprimés / froid / fièvre / toussez / sirop /je ne me sens pas bien

— Bonjour Madame, je viens chercher quelque chose parce que .... J'ai toujours ...., et j'ai de la ...., 39º.
— Et est-ce que vous .... ?
— Oui, un peu.
— Bien, prenez ce .... pour la gorge, et voici des .... pour diminuer la fièvre, vous les prenez, trois fois par jour.
— Merci beaucoup.

Voir les corrigés page 127.

14. **Complétez le dialogue avec les mots suivants : spray anti-moustiques, piqûres, crème, coups.**

— Je suis parti sur l'Île de la Réunion en vacances.

— Ah, super ! C'était bien ?

— Oui, c'était magnifique, mais j'ai eu quelques problèmes : j'ai attrapé des .... de soleil terribles !

— Mais, tu n'avais pas de .... ?

— Si bien sûr ! Et j'ai aussi eu beaucoup de .... de moustiques.

— Et tu avais du .... ! Mais tu ne l'as pas utilisé, c'est ça ? Et bien, bravo ! Tu vois le résultat !

Voir les corrigés page 127.

15. **Cochez l'expression qui correspond au sentiment exprimé.**

Exemple : Valentin est arrivé juste une minute avant le départ du train !
☐ Dommage ! ☒ Ouf ! ☐ Quoi ?

a. Je suis déçu, Margot ne peut pas venir ce soir.
☐ Dommage !
☐ Je suis contente.
☐ Ouf !

b. Les parents de Nicolas viennent de divorcer.
☐ C'est triste.
☐ C'est super.
☐ Ouf !

c. Ma sœur va profiter du programme Erasmus. C'est ...
☐ triste.
☐ curieux.
☐ génial.

d. Mon groupe préféré passe en concert dans deux semaines !
☐ Comment ?
☐ C'est génial !
☐ Quel dommage !

e. Nous venons d'avoir un bébé. Nous sommes vraiment...
☐ tristes.
☐ sympathiques.
☐ heureux.

f. Ah bon ? Vous déménagez encore une fois ?
☐ Ouf !
☐ Quel voyage !
☐ Vraiment ?

g. Ma famille et mes amis veulent m'offrir ce voyage pour mes 25 ans.
☐ Quel sérieux !
☐ Quelle chance !
☐ Quel dommage !

Voir les corrigés page 127.

Enfin les vacances !

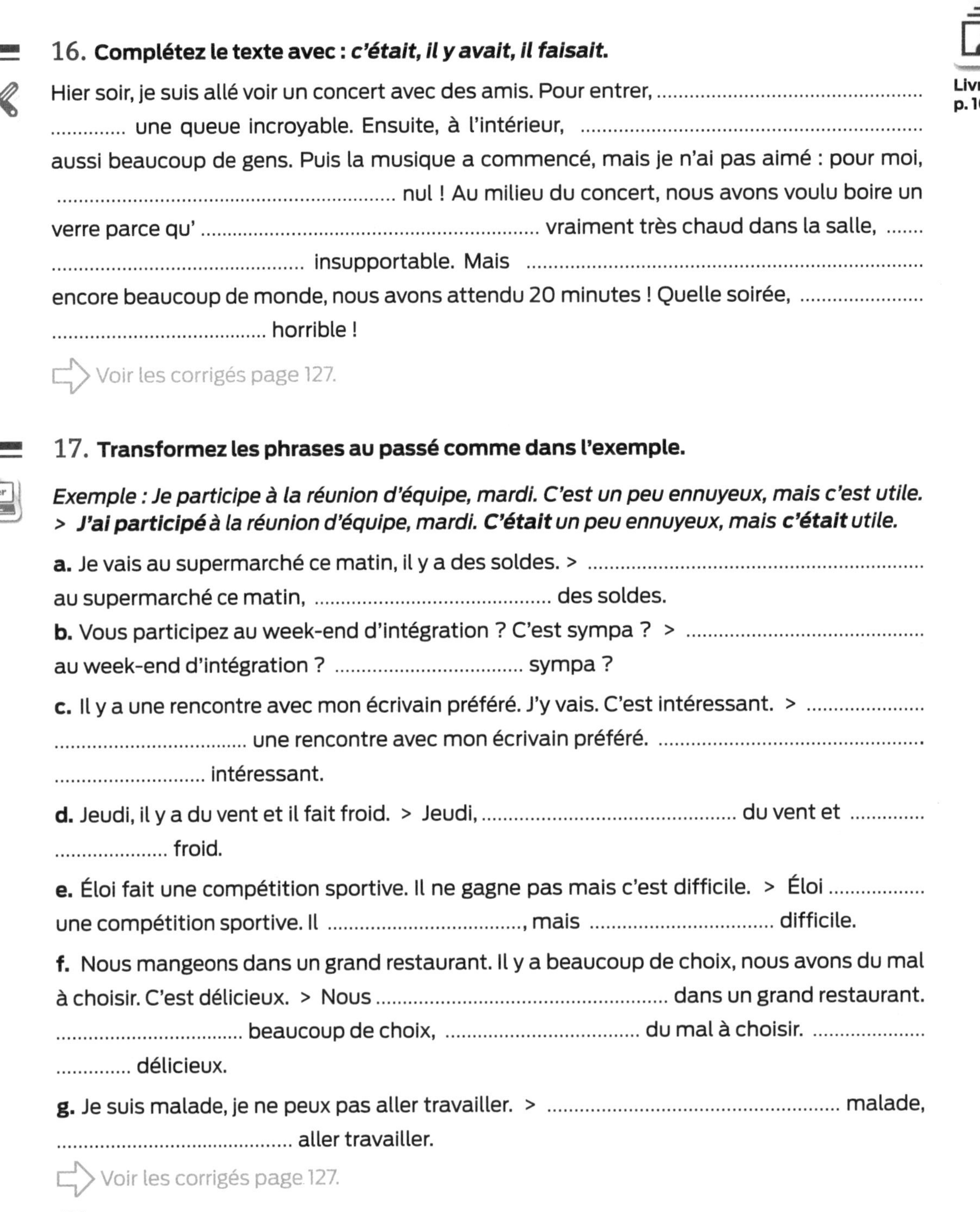

16. Complétez le texte avec : *c'était, il y avait, il faisait.*

Hier soir, je suis allé voir un concert avec des amis. Pour entrer, ... une queue incroyable. Ensuite, à l'intérieur, ... aussi beaucoup de gens. Puis la musique a commencé, mais je n'ai pas aimé : pour moi, ... nul ! Au milieu du concert, nous avons voulu boire un verre parce qu' .... vraiment très chaud dans la salle, ... insupportable. Mais .... encore beaucoup de monde, nous avons attendu 20 minutes ! Quelle soirée, ... horrible !

Voir les corrigés page 127.

17. Transformez les phrases au passé comme dans l'exemple.

Exemple : Je participe à la réunion d'équipe, mardi. C'est un peu ennuyeux, mais c'est utile.
*> **J'ai participé** à la réunion d'équipe, mardi. **C'était** un peu ennuyeux, mais **c'était** utile.*

a. Je vais au supermarché ce matin, il y a des soldes. > .... au supermarché ce matin, ... des soldes.

b. Vous participez au week-end d'intégration ? C'est sympa ? > .... au week-end d'intégration ? .... sympa ?

c. Il y a une rencontre avec mon écrivain préféré. J'y vais. C'est intéressant. > .... une rencontre avec mon écrivain préféré. .... intéressant.

d. Jeudi, il y a du vent et il fait froid. > Jeudi, ... du vent et .... froid.

e. Éloi fait une compétition sportive. Il ne gagne pas mais c'est difficile. > Éloi .... une compétition sportive. Il ...., mais .... difficile.

f. Nous mangeons dans un grand restaurant. Il y a beaucoup de choix, nous avons du mal à choisir. C'est délicieux. > Nous .... dans un grand restaurant. .... beaucoup de choix, ... du mal à choisir. .... délicieux.

g. Je suis malade, je ne peux pas aller travailler. > .... malade, ... aller travailler.

Voir les corrigés page 127.

Livre élève p. 101

18. On prononce [g] ou [ʒ] ? Classez les mots suivants dans le tableau.

un orage / guérir / génial / une guitare / magnifique / un frigo / un pigeon / une figure / un réfrigérateur / il est grand / garder

[g]	[ʒ]
....	....
....	....
....	....
....	....
....	....
	....

Voir les corrigés page 127.

19. Cochez les lettres qu'il faut pour compléter les mots.

a. Une ...rase
☐ ph
☐ ff
☐ f

b. La ...armacie
☐ ph
☐ ff
☐ f

c. O...rir
☐ ph
☐ ff
☐ f

d. Un en...ant
☐ ph
☐ ff
☐ f

e. Le gol...
☐ ph
☐ ff
☐ f

f. Une ...acture
☐ ph
☐ ff
☐ f

g. Mes a...aires
☐ ph
☐ ff
☐ f

Voir les corrigés page 127.

Enfin les vacances !

20. Compréhension écrite. Lisez le document et indiquez la bonne réponse : vrai, faux, ou on ne sait pas ?

Hôtel
Petite France
Montréal

Détails de la réservation

☐ chambre simple ☐ avec douche (35€) ☐ avec salle de bain (45€)
☒ chambre double ☐ avec douche (40€) ☒ avec salle de bain (52€)
☒ demi-pension (+17€) ☐ pension complète (+35€)

☒ télévision ☒ accès Internet ☐ accès sauna ☐ service laverie

Le prix des chambres est indiqué par personne et par nuit, et la pension par personne. Le petit-déjeuner est inclus.

Arrivée : 25/04/2012 Départ : 30/04/2012
Transfert aéroport : oui ☐ non ☒
Nombre de nuits : 5 Nombre de personnes : 2

Détail client

Nom : EVATIAS Prénom : Aymeric
Date et lieu de naissance : 03/09/1987 à Angoulême Nationalité : Français
Adresse : 176, avenue des Champs, 17300 ROCHEFORT
Téléphone : 05.67.46.32.96 email : a.evatias@courriel.net

En cas de modification, merci de prévenir 48h à l'avance.
En cas d'annulation moins de 48h à l'avance, la première nuit sera dûe.

Service réservation : booking@pfhotel.com
2098, Ste-Catherine St. West Montréal, Quebec CANADA 514-538-5294

Pour confirmer votre réservation, veuillez nous retourner ce document daté et signé.

Date : le 03.04.2012 Signature :

a. Le document est une publicité.
☐ Vrai
☐ Faux
☐ On ne sait pas.

b. L'hôtel se trouve à Rochefort.
☐ Vrai
☐ Faux
☐ On ne sait pas.

c. Le client est canadien.
☐ Vrai
☐ Faux
☐ On ne sait pas.

d. Le client est marié.
☐ Vrai
☐ Faux
☐ On ne sait pas.

e. Le client va pouvoir surfer sur Internet.
☐ Vrai
☐ Faux
☐ On ne sait pas.

f. Le client peut annuler sa réservation.
☐ Vrai
☐ Faux
☐ On ne sait pas.

g. Le prix total va être de 345 euros.
☐ Vrai
☐ Faux
☐ On ne sait pas.

Voir les corrigés page 127.

21. Production écrite. Vous êtes arrivé dimanche dernier à Marseille pour des vacances, avec votre famille ou des amis. Nous sommes jeudi soir. Vous écrivez un carnet de voyage : vous rédigez quelques lignes pour chaque journée pour raconter ce que vous avez fait, ce que vous avez vu et pour donner vos impressions. Aidez-vous des photos ci-dessous.

Lundi : le Vieux port de Marseille et Notre-Dame de la Garde

Mardi : les Calanques

Mercredi : shopping et café au soleil

Jeudi : le château d'If

Enfin les vacances !

Voir les corrigés page 127.

\\ UNITÉ 10 \\

Travailler autrement

1. Classez les mots suivants dans le tableau :

la réunion / le télétravail / le réseau / l'entreprise / l'ordinateur / le comité d'entreprise / la connexion / le mot de passe

Les mots de l'entreprise	Les mots de l'ordinateur
....	....
....	....
....	....
....	....

Voir les corrigés page 127.

2. Complétez le texte avec le mot qui convient :

Livre élève p. 107

mot de passe / écran / clé USB / clique / supprimer / se connecter / télécharge / clavier

a. Jules démarre son ordinateur et il tape son .... pour .... sur internet.

b. Sur son portable, il n'y a pas de souris alors il utilise son ....

c. Pour télécharger des photos, il .... sur l'icône qui apparaît sur l' .... et il les enregistre dans un dossier.

d. Il peut choisir les photos et .... la photo qu'il n'aime pas.

e. Ensuite, pour ne pas perdre le dossier, il le .... sur sa ....

Voir les corrigés page 127.

Travailler autrement

3. Faites une seule phrase en utilisant le pronom relatif « qui ».

Exemple : Je vous présente Vincent et Emma. Ils habitent à Marseille.
*> Je vous présente Vincent et Emma **qui habitent** à Marseille.*

a. Voici mon frère. Il est célibataire. > Voici .... célibataire.

b. Tu connais cette actrice. Elle est très célèbre. > Tu connais .... très célèbre.

c. J'aime beaucoup ces chaussures. Elles sont en cuir rouge. > J'aime beaucoup .... en cuir rouge.

d. J'ai vu un spectacle. Il dure trois heures. > J'ai vu .... trois heures.

e. Amin a rencontré ses nouveaux collègues. Ils ont l'air sympa. > Amin a rencontré .... l'air sympa.

f. Il connaît une fille. Elle a 8 frères et sœurs. > Il connaît .... 8 frères et sœurs.

g. Romane lit un roman. Il raconte l'histoire d'une ancienne star de cinéma. > Romane lit .... l'histoire d'une ancienne star de cinéma.

h. Je ne vais pas oublier notre réunion. Elle est très importante. > Je ne vais pas oublier .... très importante.

Voir les corrigés page 127.

4. Surlignez le pronom relatif qui correspond : *que* ou *qu'*.

Livre élève p. 109 et p. 120

Exemple : Je vous présente les amis ... je connais depuis 15 ans. > que / qu'

a. C'est le film **que** / **qu'** je préfère.

b. Nous décorons la maison **que** / **qu'** nous venons d'acheter.

c. Ali n'aime pas la voiture **que** / **qu'** Anna conduit.

d. Tous les salariés assistent à la réunion **que** / **qu'** le directeur organise.

e. Je ne comprends pas le message **que** / **qu'** il a envoyé.

f. Dans ce film, il y a un acteur **que** / **qu'** j'aime beaucoup.

g. Voici la collègue **que** / **qu'** il déteste.

h. Elle nous parle des pays **que** / **qu'** elle veut visiter.

Voir les corrigés page 127.

....

....

5. Faites une seule phrase avec le pronom relatif *que* ou *qu'*.

Exemple : J'ai acheté le CD. Tu écoutes souvent ce CD > J'ai acheté le CD que tu écoutes souvent.

a. Il m'a présenté des collègues. Tu connais ces collègues.
> Il m'a présenté des collègues ....

b. Dans ce film, il y a une belle actrice. Il aime beaucoup cette actrice.
> Dans ce film, il y a une belle actrice ....

c. Il y a toujours beaucoup de monde dans ce musée. Nous allons visiter ce musée.
> Il y a toujours beaucoup de monde dans ce musée ....
....

d. Henri a déjà fini les exercices. Le professeur vient de donner ces exercices.
> Henri a déjà fini les exercices ....

e. Regarde ce tableau ! Andy Warhol a peint ce tableau.
> Regarde ce tableau ....

f. J'ai lu le dossier. Le directeur a envoyé ce dossier hier.
> J'ai lu le dossier ....

g. Il ne veut pas reporter la réunion. Il vient de fixer cette réunion avec ses collègues.
> Il ne veut pas reporter la réunion ....
....

h. Les salariés assistent au Comité d'entreprise. Ils ont choisi ce Comité d'entreprise.
> Les salariés assistent au Comité d'entreprise ....

Voir les corrigés page 128.

6. Complétez les phrases avec les pronoms relatifs *que, qui, qu'*, puis ajoutez le nom du métier.

*Exemple : Dans l'entreprise, c'est elle **qui** organise l'agenda et les réunions de ses collègues, **qui** répond au téléphone et **que** les clients contactent par mail. C'est **la secrétaire**.*

a. À l'université, c'est lui .... prépare les cours et .... les étudiants écoutent. C'est ....

b. Dans cette entreprise, c'est lui .... voyage beaucoup, ... a des rendez-vous et .... ses collègues ne voient pas souvent. C'est ....
....

c. Ici, c'est elle .... dessine des plans et .... construit des logements. C'est ....

d. C'est lui .... l'entreprise emploie pour faire les comptes et .... aime les chiffres. C'est ....

e. Dans cette entreprise, c'est elle .... travaille dans le monde entier et .... parle plusieurs langues étrangères, c'est ....

Voir les corrigés page 128.

7. Cochez le mot qui convient pour compléter les phrases : *pendant* ou *depuis*.

Livre élève p. 124

a. J'ai été au chômage .... 6 mois et maintenant, je travaille comme serveur.
☐ pendant ☐ depuis

b. Il a joué aux jeux vidéo .... des heures ; il va avoir mal à la tête.
☐ pendant ☐ depuis

c. J'ai rencontré mon mari .... mes études.
☐ pendant ☐ depuis

d. Désolée, je suis en retard. Tu m'attends .... quelle heure ?
☐ depuis ☐ pendant

e. Elle travaille à temps partiel .... la naissance de son fils.
☐ depuis ☐ pendant

f. À la fin de nos études, nous avons fait un stage .... 4 mois.
☐ pendant ☐ depuis

g. Ils vivent en Équateur .... l'an dernier.
☐ depuis ☐ pendant

h. C'est notre anniversaire de mariage : nous sommes mariés .... 20 ans.
☐ depuis ☐ pendant

Voir les corrigés page 128.

8. Conjuguez les verbes au temps qui convient : présent ou passé composé.

-er

*Exemple : Je (être) malade pendant les vacances. > **J'ai été** malade pendant les vacances.*

a. Mathias *(réviser)* son examen pendant 3 jours. > Mathias .... son examen pendant 3 jours.

b. Farid *(faire)* du tennis depuis 15 ans. > Farid .... du tennis depuis 15 ans.

c. Sarah *(parler)* français depuis son voyage au Canada. > Sarah .... français depuis son voyage au Canada.

d. Noah *(apprendre)* l'italien pendant son stage à Turin. > Noah .... l'italien pendant son stage à Turin.

e. Nous *(aller)* en vacances en Corse depuis 2008. > Nous .... en vacances en Corse depuis 2008.

f. Ils *(venir)* nous voir pendant les dernières fêtes de Noël. > Ils .... nous voir pendant les dernières fêtes de Noël.

g. Est-ce que vous *(connaître)* Clément depuis longtemps ? > Est-ce que vous .... Clément depuis longtemps ?

h. Je *(ne pas voir)* ce garçon pendant des années. > Je .... ce garçon pendant des années.

Voir les corrigés page 128.

9. Associez chaque expression à une situation.

a. Passer un examen ◆	◆ Carl a étudié pendant trois ans à l'université après le baccalauréat.
b. Réussir un examen ◆	◆ Choisir par exemple entre l'université, un institut technique ou une grande école.
c. Avoir le niveau bac +3 ◆	◆ Grégoire est convoqué à 8h30 pour l'examen oral.
d. Les études supérieures ◆	◆ J'ai reçu mes notes : c'est bon !
e. La formation continue ◆	◆ Je travaille depuis 4 ans et je suis des études en parallèle pour me spécialiser.
f. Obtenir un diplôme ◆	◆ Éva a eu sa licence avec mention « Très bien ».

Voir les corrigés page 128.

10. Qui est-ce ? Complétez les phrases avec les mots suivants : *chômeur, directeur, retraité, salariés.*

a. Il dirige l'entreprise, c'est le ....

b. Il ne travaille pas et il cherche un travail, il est ....

c. Ils travaillent et gagnent un salaire, ce sont des ....

d. Il a 65 ans donc il ne travaille plus, c'est un ....

Voir les corrigés page 128.

Travailler autrement

11. Qu'est-ce que c'est ? Associez un mot à chaque notion.

a. Pendant 5 semaines ◆	◆ Le contrat
b. De 9h à 18h ◆	◆ Le métier
c. 2300 € par mois ◆	◆ Le salaire
d. Un CDI ◆	◆ Les congés payés
e. Professeur ◆	◆ Les horaires

Voir les corrigés page 128.

Livre élè
p. 111
et p. 122

13. Complétez par *mais* ou *donc* pour faire une phrase logique.

*Exemple : Je voudrais préparer des crêpes **mais** je n'ai pas de farine.*

a. J'ai vu une offre qui m'intéresse .... j'envoie tout de suite mon CV.
b. Il fait très froid .... je ne sors pas.
c. J'ai envie d'aller au cinéma .... il n'y a pas de bon film en ce moment.
d. Je veux réussir mes examens .... j'étudie beaucoup.
e. J'ai trop chaud .... j'ouvre la fenêtre.
f. J'adore les voyages .... je déteste prendre l'avion.
g. Je suis contente de venir .... je ne peux pas rester tard.
h. J'aime beaucoup ce travail .... je travaille beaucoup pour le garder.

Voir les corrigés page 128.

Livre élè
p. 111
et p. 122

14. Complétez les phrases avec : *et, mais, ou, donc.*

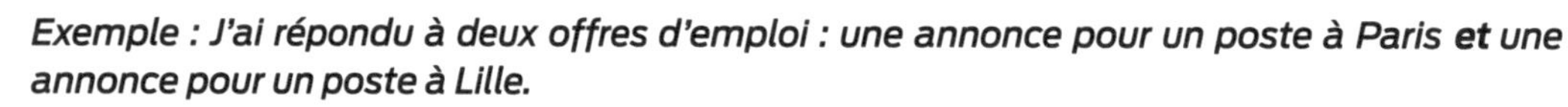

*Exemple : J'ai répondu à deux offres d'emploi : une annonce pour un poste à Paris **et** une annonce pour un poste à Lille.*

a. Il a obtenu un diplôme d'ingénieur .... il n'a pas encore trouvé de travail.
b. L'entreprise m'a proposé de choisir de travailler à temps complet ....
à temps partiel.
c. Le comité d'entreprise nous a donné des chèques-vacances ....
nous allons pouvoir aller skier cet hiver !
d. En ce moment, j'ai beaucoup de travail : je travaille tous les jours ....
même le week-end !

e. L'entreprise change le matériel informatique. Je dois choisir : un ordinateur fixe .... un ordinateur portable.

f. Il a la grippe .... il est quand même venu travailler.

g. Mon travail est agréable, mon patron .... mes collègues sont sympathiques.

h. Elle vit au Japon depuis des années .... elle parle couramment le japonais.

Voir les corrigés page 128.

14. Complétez le texte de cette annonce avec les mots suivants :

entreprise / recherche / commercial / expérience / bilingue / CDD / temps complet / salaire / CV

Octis, ... spécialisée dans la vente, ... son nouveau .... Le candidat doit avoir une grande .... dans le commerce international et doit être .... français / anglais. Nous proposons un .... d'un an à .... (35 heures par semaine).
Le .... est de 1800€.
Envoyez votre lettre de motivation et votre .... à *direction@octis.com*.

Voir les corrigés page 128.

15. Complétez le texte suivant avec : *plus, plus d', plus de.*

Livre élève p. 111 et p. 125

Philippe est .... heureux à Londres qu'à Paris. Maintenant, Philippe est .... libre : il a .... temps qu'avant pour ses loisirs, pour ses amis et sa famille. Il a .... travail pendant la journée mais il a .... week-ends libres, ... activités sportives et .... vacances. Il est aussi .... indépendant, ... mobile et .... détendu.

Voir les corrigés page 128.

16. Complétez le texte suivant avec : *moins, moins d', moins de.*

Livre élève p. 111 et p. 125

À Dublin, Dorothée a .... vacances qu'en France mais ses horaires sont .... stressants : elle a ....heures dans la journée et .... travail en fin de semaine. Mais en même temps, elle a .... temps pour la pause-déjeuner. Son salaire est .... élevé et elle a ....avantages. Le comité d'entreprise est .... actif : il organise .... choses pour les salariés.

Voir les corrigés page 128.

17. Compréhension écrite. Observez ce document et indiquez de quoi il s'agit.

Étudiant 20 ans cherche emploi de serveur ou de cuisinier. Disponible tous les soirs après les cours et les weekends. Merci de me contacter sur dave38@free.fr ou au 06 45 32 89 26 (après 18 heures).

☐ C'est une demande d'emploi dans l'annonce.
☐ C'est une demande de stage dans l'annonce.
☐ C'est une offre d'emploi dans l'annonce.

Voir les corrigés page 128.

18. Compréhension écrite. Observez à nouveau le document et cochez l'annonce qui lui correspond.

Étudiant 20 ans cherche emploi de serveur ou de cuisinier. Disponible tous les soirs après les cours et les weekends. Merci de me contacter sur dave38@free.fr ou au 06 45 32 89 26 (après 18 heures).

☐ Bar cherche serveur pour aide en fin de semaine. Débutant accepté. Contact : Xavier (06 22 61 61 60). Réf. : 6646.
☐ Restaurant propose un temps complet pour service en salle. Contact M. Germain. Référence : 642.
☐ Restaurant gastronomique cherche un chef expérimenté, 40 heures par semaine du mardi au samedi soir. Contact sur place, demander Monsieur Lignac. Référence : 3329.

Voir les corrigés page 128.

19. Compréhension écrite. Observez ces deux documents puis cochez les bonnes réponses.

Chèques-Vacances

Le chèque vacances est une aide personnalisée aux vacances et aux loisirs. Il se présente sous la forme de chèques de 10€ ou 20 €.
Le Comité d'entreprise le donne aux salariés. Il peut être utilisé par le conjoint et les enfants et il est valable pendant 2 années.

Ce moyen de paiement permet de financer un large éventail d'activités culturelles et de loisirs.
135 000 professionnels du tourisme et des loisirs acceptent les Chèques-Vacances.

a. Pour obtenir ce chèque-vacances, je dois être :
☐ un salarié dans une entreprise de plus de 50 personnes
☐ un chômeur
☐ un retraité

b. Avec ce chèque-vacances, je peux :
☐ m'inscrire dans un club de sport
☐ aller au restaurant
☐ payer la baby-sitter

c. Je peux utiliser ce chèque en novembre 2014 :
☐ Oui
☐ Non

Voir les corrigés page 128.

20. **Production écrite. Vous travaillez dans une entreprise française. Vous avez recruté une nouvelle collègue. Vous envoyez un mail à vos collègues pour le présenter. Aidez-vous du CV présenté ici.**

Nom : **Dutour**
Prénom : **Stella**

Informations personnelles :
née le 12 février 1983 à Lyon, célibataire

Expériences professionnelles :
- **de 2008 à 2011** : Ingénieur Nouvelles Technologies chez HP (Paris)
- **de 2006 à 2008** : Ingénieur au MIT (USA)
- **de septembre 2005 à février 2006** : stage au Laboratoire de Recherche Laue-Langevin

Formation :
- **de 2001 à 2005** : Institut Polytechnique de Grenoble
- **en 2001** : Bac S

Centres d'intérêts :
Lecture, tennis et voyages

Bonjour, je vous présente notre nouvelle collègue...

Voir les corrigés page 128.

Corrigés

UNITÉ 0

Exercice 1

a. un appareil photo ; **d.** un plan ; **g.** une tasse de café ; **h.** une carte postale.

Exercice 2

a. oui ; **b.** merci ; **c.** au revoir ; **d.** non ; **e.** s'il vous plaît ; **f.** salut ; **g.** bienvenue ; **h.** bonjour.

Exercice 3

a. C'est une voiture ; **b.** C'est un ordinateur ; **c.** C'est un hôtel ; **d.** Ce sont des amis ; **e.** C'est la Sorbonne ; **f.** C'est le Parlement ; **g.** C'est l'Italie ; **h.** Ce sont les étudiants de français.

Exercice 4

a. Ça s'écrit D-E-U-X. **b.** Bien sûr ! **c.** Non, je ne comprends pas. **d.** Oui. **e.** On dit « merci » ! **f.** Je m'appelle Léa. **g.** Oui, mais un tout petit peu. **h.** Oui, j'étudie le français.

Exercice 5

Lundi, **mardi**, **mercredi**, **jeudi**, **vendredi**, samedi, **dimanche**.

Exercice 6

a. trois, cinq ; **b.** six ; **c.** huit ; **d.** vingt, trente ; **e.** sept, quatre ; **f.** dix, neuf ; **g.** quatre, un, zéro ; **h.** huit, deux.

Exercice 7

a. six ; **b.** seize ; **c.** trois ; **d.** deux ; **e.** douze ; **f.** quatre ; **g.** quatorze.

Exercice 8

a. trente-six ; **b.** quarante-quatre ; **c.** cinquante ; **d.** soixante et un ; **e.** soixante neuf ; **f.** soixante et onze ; **g.** quatre-vingt ; **h.** quatre-vingt-dix-neuf.

Exercice 9

a, b, **c**, d, f, **g**, h, **i**, **j**, k l, **m**, n, **o**, p, **q**, **r**, **s**, t, **u**, v, **w**, x, **y**, z

Exercice 10

a. café crème ; **b.** liberté ; **c.** féminin ; **d.** s'il vous plaît ; **e.** répétez ; **f.** mère ; **g.** hôtel ; **h.** écoutez.

UNITÉ 1

Exercice 1

a. 25, avenue du Grand Pont ; **b.** M. Durand ; **c.** 31 ans ; **d.** Je m'appelle Alain ; **e.** galiab@sdh.fr ; **f.** Je suis né le 8 avril 1992 ; **g.** Je suis né à Biarritz ; **h.** 06 23 49 42 06 ; **i.** Je suis célibataire.

Exercice 2

L'homme :
Je m'appelle Laurent.
Je suis célibataire.
Je suis né en 1991.
Je suis né à Goteborg.
Je suis suédois.
La femme :
Je m'appelle Virginie.
Je suis mariée.
Je suis née le 12 mai 1985.
Je suis née à Lausanne.
Je suis suisse.

Exercice 3

Être : suis, es, est, êtes. **Avoir** : ai, as, a, avez. **S'appeler** : m'appelle, t'appelles, s'appelle, vous appelez. **Parler** : parle, parles, parle, parlez.

Exercice 4

a. ai ; **b.** avez ; **c.** a ; **d.** a ; **e.** as ; **f.** avez.

Exercice 5

a. a ; **b.** est ; **c.** est ; **d.** est ; **e.** a ; **f.** a.

Exercice 6

a. italienne ; **b.** espagnol ; **c.** américaine ; **d.** brésilien ; **e.** anglais ; **f.** russe ; **g.** norvégienne.

Exercice 7

a. La ; **b.** Le ; **c.** Le ; **d.** La ; **e.** Le ; **f.** La.

Exercice 8

a. Tu ; **b.** Il ; **c.** vous ; **d.** J' ; **e.** Vous ; **f.** Je.

Exercice 9

a. suis française. **b.** es en voyage. **c.** est né à Paris. **d.** est mariée. **e.** sommes les amis de Lucas. **f.** êtes célibataire ? **g.** sont thaïlandais. **h.** sont mexicaines.

Exercice 10

a. je ; **b.** il ; **c.** vous ; **d.** tu ; **e.** elle ; **f.** j' ; **g.** vous.

Exercice 11

a. Nous ; **b.** Vous ; **c.** Moi ; **d.** Elle ; **e.** Eux ; **f.** Toi ; **g.** Elles ; **h.** Lui.

Exercice 12

a. juin ; **b.** octobre ; **c.** août ; **d.** novembre ; **e.** juillet ; **f.** février ; **g.** décembre ; **h.** mai ; **i.** septembre ; **j.** mars ; **k.** avril.

Exercice 13

Janvier**,** février**,** mars**,** avril**,** mai**,** juin**,** juillet**,** août**,** septembre**,** octobre**,** novembre**,** décembre**.**

Exercice 14

a. parlez ; **b.** êtes ; **c.** m'appelle ; **d.** allez ; **e.** as ; **f.** habite.

Exercice 15

a. c'est ; **b.** habite ; **c.** parlez ; **d.** vas ; **e.** appelle ; **f.** est ; **g.** est ; **h.** ai.

Exercice 16

a. à, au ; **b.** à, en ; **c.** à, en ; **d.** à, en ; **e.** à, en ; **f.** au ; **g.** à, en.

Exercice 17

a. en, roumaine ; **b.** au, sénégalais ; **c.** au, japonaise ; **d.** en, suisse ; **e.** en, grecque ; **f.** aux, américaine ; **g.** en, chinois.

Exercice 18

a. votre ; **b.** Mon ; **c.** mon ; **d.** votre ; **e.** Ma ; **f.** Votre ; **g.** Ma ; **h.** votre.

Exercice 19

a. Vous vous appelez comment ? **b.** Vous êtes espagnol ? **c.** Vous avez quel âge ? **d.** Vous habitez en France ? **e.** Vous parlez français ? **f.** Votre numéro de téléphone, s'il vous plaît ?

Exercice 20

a. Vrai. **b.** Faux. **c.** Vrai. **d.** Faux. **e.** Faux.

Exercice 21

a. une affiche ; **b.** en mars ; **c.** à Paris ; **d.** toutes les langues.

Exercice 22

<u>Proposition de corrigé :</u> « - Je m'appelle Johanna Vantreck. J'ai 27 ans. Je suis belge. J'habite à Perpignan, 3 rue de la Poste. Mon numéro de téléphone est le 06 65 77 98 97. Mon adresse mail est : johanna-vantreck@hotmail.com. »

Exercice 23

<u>Proposition de corrigé</u> : De : antoinepages@yahoo.com
À : detoiamoi@dfr.lvfle.org
Objet : correspondant
Message : « Bonjour, Je m'appelle Antoine Pagès. Je suis espagnol. J'ai 25 ans. Je suis célibataire. J'habite à Marseille, en France. Mon adresse est : 6, rue Sainte – 13000 Marseille. »

UNITÉ 2

Exercice 1

Le travail/les études : activité, métier, entreprise, travail, formation, études. **La famille** : enfants, mère, famille, père.

Exercice 2

a. médecine ; **b.** biologie ; **c.** langues ; **d.** informatique ; **e.** finance ; **f.** comptabilité ; **g.** gestion.

Exercice 3

Un acteur : apprendre un texte, jouer dans un film, répéter sur scène, parler en public. **Un vendeur** : répondre aux clients, donner des informations, présenter un produit, répondre au téléphone. **Une secrétaire** : répondre au téléphone, écrire des mails, faire un planning, donner des informations.

Exercice 4

Serveuse, musicienne, boulangère, actrice, pâtissière. Cuisinier, informaticien, chanteur, avocat, traducteur.

Exercice 5

a. La ; **b.** Le ; **c.** L' ; **d.** Les ; **e.** L' ; **f.** Les ; **g.** Les ; **h.** Le.

Exercice 6

a. un ; **b.** une ; **c.** l' ; **d.** la ; **e.** un ; **f.** une, la ; **g.** des ; **h.** Les.

Exercice 7

a. tes ; **b.** ma ; **c.** Vos ; **d.** ses ; **e.** mes ; **f.** Vos ; **g.** sa ; **h.** Mes.

Exercice 8

a. Ce sont ; **b.** C'est ; **c.** C'est ; **d.** Ce sont ; **e.** C'est ; **f.** Ce sont ; **g.** Ce sont ; **h.** C'est.

Exercice 9

a. ma grand-mère ; **b.** ma sœur ; **c.** mon oncle ; **d.** mon grand-père ; **e.** ma cousine ; **f.** ma tante.

Exercice 10

La fille, la grand-mère, la femme, la sœur, la cousine, la tante.

Exercice 11

a. facile ; **b.** fatigant ; **c.** intéressant ; **d.** dynamique ; **e.** dangereux ; **f.** ennuyeux ; **g.** sympathique ; **h.** sérieux ; **i.** calme ; **j.** inutile.

Exercice 12

a. Ma sœur est dynamique.
b. Ma fille est fatigante.
c. Ma cousine est ennuyeuse.
d. Ma grand-mère est intéressante.
e. Mon grand-père est sérieux.
f. Mon père est amusant.
g. Mon mari est calme.
h. Mon fils est curieux.

Exercice 13

a. pratiquez ; **b.** parlent ; **c.** posons ; **d.** organises ; **e.** rencontre ; **f.** donnez ; **g.** dirige ; **h.** regardons.

Exercice 14

a. quel ; **b.** Quels ; **c.** quelles ; **d.** quelle ; **e.** Quel ; **f.** Quelle ; **g.** quel ; **h.** quelle.

Exercice 15

a. ne ; **b.** n' ; **c.** ne ; **d.** n' ; **e.** n' ; **f.** ne ; **g.** n' ; **h.** n'.

Exercice 16

a. n'est pas ; **b.** ne parle pas ; **c.** Ce n'est pas ; **d.** ne sommes pas ; **e.** ne voyagez pas ; **f.** ne cherchent pas ; **g.** ne corrige pas ; **h.** ne fait pas.

Exercice 17

a. faites ; **b.** fait ; **c.** faisons ; **d.** fais ; **e.** fait ; **f.** font ; **g.** fait ; **h.** fais.

Exercice 18

a. Vous ne voyagez pas beaucoup. **b.** Ce sont des artistes importants. **c.** Ce n'est pas le fils de Nathalie. **d.** Tu écoutes le guide et je pose des questions. **e.** Mon professeur parle quatre langues étrangères. **f.** Nous choisissons trois personnes et nous préparons la présentation.

Exercice 19

a. un e-mail ; **b.** pratiquer le français ; **c.** oui ; **d.** 3 ans ; **e.** on ne sait pas.

Exercice 20

<u>Proposition de corrigé</u> : C'est une famille chinoise. Le mari s'appelle Yongpeng, il a 29 ans. Il est marié avec Xin et ils ont un seul enfant, un garçon. Il a 7 ans et s'appelle Haoran.
Yongpeng est médecin et sa femme est photographe. Ils habitent à Beijing, avec les parents de Xin.

UNITÉ 3

Exercice 1

Une communauté ; un réseau professionnel ; un groupe d'amis ; un réseau virtuel ; une équipe de volley-ball ; une tribu ; une famille.

Exercice 2

Les vêtements : un costume, une jupe, des chaussettes, une chemise. **Les accessoires** : un sac, un chapeau, une casquette, un bijou, des lunettes.

Exercice 3

Activités sportives : le yoga, la randonnée, la natation. **Activités musicales** : le piano, les concerts, la guitare. **Activités culturelles** : le théâtre, le cinéma, la photographie, la lecture. **Autres** : les voyages, les soirées entre amis, la fête.

Exercice 4

Voyager → les voyages. Nager → la natation. Marcher → la marche. Cuisiner → la cuisine. Écrire → l'écriture. Courir → la course à pied. Jouer → le jeu.

Exercice 5

a. faites, fais ; **b.** fais, faisons ; **c.** fait, fait ; **d.** font, font ; **e.** faites, faisons.

Exercice 6

a. aime ; **b.** adorent ; **c.** aime bien ; **d.** déteste ; **e.** aiment beaucoup ; **f.** aimez ; **g.** n'aimons pas ; **h.** n'aimes pas beaucoup.

Exercice 7

a. Est-ce que Laure préfère la mer ou la montagne ?
b. Est-ce que tu aimes sortir le vendredi soir ?
c. Est-ce que tu vas souvent au cinéma ?
d. Est-ce que Nicolas fait du sport ?
e. Est-ce qu'Hugo écoute du rock ?
f. Est-ce que tu achètes des vêtements sur internet ?

Exercice 8

a. vas, vais ; **b.** allez, allons ; **c.** vont, vas ; **d.** va, va.

Exercice 9

a. du ; **b.** de l' ; **c.** des ; **d.** du ; **e.** de la ; **f.** de l' ; **g.** de la ; **h.** du.

Exercice 10

a. à la ; **b.** à la ; **c.** aux ; **d.** au ; **e.** à l' ; **f.** à la ; **g.** au ; **h.** au.

Exercice 11

a. de la ; **b.** au ; **c.** au ; **d.** au ; **e.** au ; **f.** du ; **g.** aux.

Exercice 12

a. faites ; **b.** font ; **c.** vont ; **d.** allons ; **e.** fait ; **f.** vas ; **g.** va ; **h.** faisons.

Exercice 13

a. Quelle ; **b.** Qu'est-ce qu' ; **c.** Quelles ; **d.** Quel ; **e.** Qu'est-ce que ; **f.** Quels ; **g.** Quel ; **h.** Quels.

Exercice 14

a. *Parce que j'adore le reggae !*
b. Parce que je travaille en France.
c. Parce que j'aime faire la fête et danser avec mes amis.
d. Parce que le bleu est ma couleur préférée !
e. Parce que je n'aime pas du tout ce peintre !
f. Parce que je déteste la voiture !
g. Parce que je préfère regarder des films en DVD.

Exercice 15

a. Pourquoi tu vis à Bordeaux ?
b. Pourquoi ta femme et toi aimez Strasbourg ?
c. Pourquoi Nora fait du violon ?
d. Pourquoi tes parents travaillent dans la finance ?
e. Pourquoi nous n'allons pas au restaurant ?
f. Pourquoi Nils habite en ville ?
g. Pourquoi Satia voyage à l'étranger ?

Exercice 16

a. Parce qu'elle adore écouter de l'opéra. / Parce qu'elle adore l'opéra.
b. Parce qu'ils adorent nager. / Parce qu'ils adorent la natation.
c. Parce qu'on adore le cinéma. / Parce que nous adorons le cinéma.
d. Parce que j'adore faire du shopping. / Parce que j'adore le shopping.
e. Parce qu'il adore jouer aux jeux vidéos. / Parce qu'il adore les jeux vidéos.

Exercice 17

Masculin singulier	Masculin pluriel	Féminin singulier	Féminin pluriel
grand	**grands**	grande	**grandes**
noir	**noirs**	**noire**	**noires**
brun	bruns	**brune**	**brunes**
sympa-thique	**sympa-thiques**	sympa-thique	**sympa-thiques**
vieux	**vieux**	**vieille**	**vieilles**
roux	**roux**	**rousse**	rousses
blanc	blancs	**blanche**	**blanches**
gentil	**gentils**	**gentille**	**gentilles**
beau	**beaux**	belle	**belles**

Exercice 18

a. vis ; **b.** vis ; **c.** vit ; **d.** vit ; **e.** vivent ; **f.** vivons ; **g.** vivez ; **h.** vivent.

Exercice 19

a. Nous faisons ; **b.** nous n'aimons pas ; **c.** on vit ; **d.** On travaille ; **e.** nous ne parlons pas ; **f.** on étudie.

Exercice 20

a. sa ; **b.** leur ; **c.** notre ; **d.** ses ; **e.** leurs ; **f.** nos.

Exercice 21

a. ma, mon, mes, mes, mes, mes, Mon.
b. Sa, sa, Ses.
c. mes, leur, leurs
d. ta, ton, ton, tes

Exercice 22

a. Photo 3. **b.** Photo 1. **c.** Photo 4. **d.** Photo 2.

Exercice 23

<u>Proposition de corrigé</u> :

- Bonjour ! Je m'appelle Andrea. Je suis nouvelle dans votre ville ! Je suis vénézuélienne. J'ai 31 ans. Je suis directrice commerciale dans une entreprise...
- Je m'appelle Andrès. Je suis nouveau dans votre ville ! Je suis vénézuélien. J'ai 31 ans. Je suis directeur commercial dans une entreprise...

Je travaille beaucoup. J'aime mon métier ! J'aime sortir, aller au cinéma. J'aime beaucoup danser et écouter de la musique aussi : j'adore la salsa. Mon acteur préféré est Hugh Grant. J'aime bien cuisiner aussi : j'aime la cuisine de mon pays et la cuisine française. Je n'aime pas le sport et... j'aime votre ville ! Et vous, qu'est-ce que vous faites dans la vie ? Qu'est-ce que vous aimez ? Est-ce que vous aimez sortir, danser, cuisiner ? Est-ce que vous aimez la musique ?
À bientôt, Andrèa.
À bientôt, Andrès.

UNITÉ 4

Exercice 1

À la boulangerie : croissant, pain, gâteau. **Chez le fromager** : fromage, œufs frais. **À la boucherie-charcuterie** : jambon, viande. **Chez le primeur** : légumes, fruits. **À l'épicerie** : huile d'olive, farine, lait.

Exercice 2

Un paquet : le sucre, la farine, le café. **Une boîte en carton** : les champignons, les œufs. **Une bouteille** : le jus de fruits, le vin, l'eau.

Exercice 3

a. mangent ; **b.** mange ; **c.** manges ; **d.** mange ; **e.** mangeons ; **f.** mangez ; **g.** mange ; **h.** mange.

Exercice 4

a. achètes ; **b.** achètent ; **c.** achète ; **d.** achetons ; **e.** achète ; **f.** achetez ; **g.** achète ; **h.** achètent.

Exercice 5

Entrée : soupe de légumes, salade, tomate-mozzarella. **Plat principal** : omelette aux champignons, poisson et légumes verts, ratatouille, poulet-frites. **Dessert** : glace à la vanille, mousse au chocolat, salade de fruits

Exercice 6

a. Viens ; **b.** Bois ; **c.** Mange ; **d.** Dîne ; **e.** Goûte ; **f.** Goûte ; **g.** Travaille ; **h.** Parle.

Exercice 7

a. Buvez ; **b.** déjeunez ; **c.** Goûtez ; **d.** allez ; **e.** prenez ; **f.** Mangez ; **g.** Dînez ; **h.** Appréciez.

Exercice 8

a. moi non plus ! ; **b.** moi non ! ; **c.** moi non plus ! ; **d.** moi aussi ! ; **e.** moi non ! ; **f.** moi aussi ! ; **g.** moi non plus !

Exercice 9

a. Ils boivent du thé à tous les repas. **b.** Nous buvons beaucoup de sodas. **c.** Tu bois beaucoup de jus de fruits ? **d.** Vous buvez du café le matin ? **e.** Je bois de l'eau parce que j'ai soif ! **f.** Il boit peu de café.

Exercice 10

a. du, du ; **b.** de la, de la ; **c.** de la ; **d.** de l' ; **e.** du, de l' ; **f.** de la.

Exercice 11

a. des, du, du, de la ; **b.** des, des, du, des ; **c.** des, des

Exercice 12

a. le ; **b.** les ; **c.** les ; **d.** du ; **e.** la ; **f.** de l' ; **g.** un ; **h.** du.

Exercice 13

a. beaucoup de ; **b.** peu d' ; **c.** beaucoup d' ; **d.** beaucoup de ; **e.** pas de ; **f.** peu de.

Exercice 14

a. Non, je ne mange pas de viande. **b.** Non, nous ne buvons pas de lait. **c.** Non, elle ne mange pas de poisson. **d.** Non, on ne boit pas de vin dans ce restaurant. **e.** Non, ils ne mangent pas de pâtes au petit-déjeuner. **f.** Non, nous ne mangeons pas de fromage.

Exercice 15

a. Le matin, je bois beaucoup de café. **b.** Tous les jours, Maria mange beaucoup de fruits. **c.** Les jeunes boivent beaucoup de boissons sucrées. **d.** Mes parents ne mangent pas de viande. **e.** Moi, je mange peu d'œufs. **f.** On ne boit pas beaucoup d'alcool.

Exercice 16

En France, on fait ses **courses** alimentaires au supermarché ou au **marché**. On peut aussi faire ses courses dans des **magasins** d'alimentation : on achète alors le pain à la **boulangerie**, les pâtes à l'**épicerie**, le poisson à la **poissonnerie**, la viande à la **boucherie** et le fromage chez le **fromager** ! Quand on va au restaurant, c'est très agréable, on ne fait pas de courses du tout ! On peut choisir son repas à la carte ou prendre un **menu** et prendre un, deux et même trois **plats** !

Exercice 17

a. C'est l'action de préparer des aliments.
b. C'est l'art de bien manger.
c. C'est l'action de se nourrir.

Exercice 18

a. [ɑ̃] ; **b.** [ɛ̃] ; **c.** [ɑ̃] ; **d.** [ɑ̃] ; **e.** [ɑ̃] ; **f.** [ɛ̃] ; **g.** [ɑ̃] ; **h.** [ɑ̃] ; **i.** [ɛ̃].

Exercice 19

a. Menu B ; **b.** Menu C ; **c.** Menu A.

Exercice 20

<u>*Proposition de corrigé :*</u>

Mon restaurant préféré à Toulouse, c'est le Café Différent. C'est un restaurant de cuisine française. J'aime le Café Différent parce que j'adore les plats de la carte ! On peut manger des spécialités françaises et on peut aussi goûter des spécialités de Toulouse : un cassoulet par exemple (du canard avec des haricots). Si vous ne mangez pas de viande, prenez le menu végétarien : les produits sont frais ! Alors, allez déjeuner ou dîner au Café Différent : l'ambiance est agréable, les serveurs sont sympathiques et la cuisine est délicieuse !

UNITÉ 5

Exercice 1

a. Je dors dans la chambre. **b.** Je prends une douche dans la salle de bains. **c.** Je reçois mes amis dans le salon. **d.** Je gare la voiture dans le garage. **e.** Je fais mes comptes et mon courrier dans le bureau. **f.** Je prépare le repas dans la cuisine. **g.** Je profite du soleil dans le jardin.

Exercice 2

a. l'installation ; **b.** le déménagement ; **c.** la décoration ; **d.** le logement ; **e.** le rangement ; **f.** la location ; **g.** l'habitation ; **h.** l'expatriation.

Exercice 3

a. La semaine dernière, nous **avons** invité nos voisins marocains. Ils **ont** apporté une spécialité de leur pays : un tajine au poulet. Hum, quel régal ! On **a** tout mangé. - **b.** En 2009, j'**ai** quitté la France et je **suis** parti aux États-Unis. D'abord, avec ma femme, on **a** loué un appartement, mais maintenant, on est propriétaires. - **c.** Hier, mes parents **sont** venus ; ils **ont** visité ma nouvelle maison. - **d.** Clément et Henri **sont** allés au cinéma ; ils **ont** vu le dernier film de Guillaume Canet.

Exercice 4

a. parti ; **b.** pris ; **c.** lu ; **d.** venu ; **e.** été ; **f.** fait ; **g.** eu.

Exercice 5

Ça y est ! J'**ai quitté** mon appartement parisien, j'**ai rendu** les clés au propriétaire et je **suis parti** en Allemagne. Là-bas, j'**ai rencontré** d'autres étudiants étrangers et nous **avons organisé** une colocation. James **a fait** un grand ménage, Livia **a décoré** le salon et moi, j'**ai rangé** les cartons. Nous **avons invité** les voisins et les copains pour fêter notre installation. Ils **sont restés** tard dans la nuit !

Exercice 6

a. Je n'ai pas fini.

b. Tu n'as pas lu ce roman.
c. Nous n'avons jamais fait de ski.
d. Elle n'est pas arrivée à l'heure.

Exercice 7
a. acheté, décorer, manger ; **b.** manger, rester ; **c.** visité, trouvé ; **d.** travaillé, réviser, passer ; **e.** déménager, loué ; **f.** payé, oublié, envoyer.

Exercice 8
J'ai rangé les valises et **j'ai mis** le linge sale dans la machine à laver. **J'ai ouvert** les fenêtres, **j'ai passé** l'aspirateur et **j'ai fait** les lits. Mon mari **est allé** au supermarché pour faire les courses. Les enfants **ont invité** leurs copains, ils leur **ont montré** les photos et ils leur **ont donné** des cadeaux souvenirs. Le soir, nous **sommes sortis** au restaurant pour fêter la fin des vacances !

Exercice 9
a. au-dessus ; **b.** entre ; **c.** dans ; **d.** sur ; **e.** dans ; **f.** au-dessous ; **g.** à droite de.

Exercice 10
a. sous ; **b.** dans ; **c.** devant ; **d.** entre ; **e.** derrière ; **f.** au milieu de ; **g.** sur.

Exercice 11
a. fume ; **b.** Jetez ; **c.** traversez ; **d.** Allumez ; **e.** Éteins ; **f.** buvez.

Exercice 12
a. Il ne faut pas fumer.
b. Il faut jeter...
c. Il ne faut pas traverser.
d. Il faut allumer...
e. Il faut éteindre...
f. Il ne faut pas boire.

Exercice 13
a. devons ; **b.** dois ; **c.** devez ; **d.** doit ; **e.** doivent ; **f.** doit.

Exercice 14
a. N'éteins pas ; **b.** Il ne faut pas lire ; **c.** Vous ne devez pas faire ; **d.** Ne faites pas ; **e.** Il ne faut pas rentrer ; **f.** Tu ne dois pas ranger ; **g.** Ne finis pas ; **h.** Il ne faut pas boire.

Exercice 15
Proposition de corrigé : Faites des exercices. Écoutez la radio française. Voyagez en France. Vivez en colocation avec des Français. Soyez motivé !

Exercice 16
a. *pour travailler en France.*
b. pour acheter un nouvel ordinateur. **c.** pour la fête du quartier. **d.** pour voir la Tour Eiffel. **e.** pour les vacances. **f.** pour préparer un gâteau. **g.** pour le déménagement. **h.** pour découvrir d'autres cultures.

Exercice 17
Proposition de corrigé
a. partir en France ; **b.** faire du sport ; **c.** rencontrer de nouveaux amis ; **d.** réussir mon examen ; **e.** son anniversaire ; **f.** écouter de la musique.

Exercice 18
Masculin : *rez-de-chaussée*, appartement, logement, déménagement, étage. **Féminin** : cuisine, chambre, maison.

Exercice 19
À louer : maison face au Mont Blanc ; 3 chambres et 2 salles de bains. 800 € la semaine au mois de juillet.

Exercice 20
Proposition de corrigé : Si tu veux regarder un film, tu dois brancher la télé. Fais les courses s'il te plaît parce que le frigo est vide. Arrose les plantes et nourris le chat. Il ne faut pas utiliser le lave-vaisselle parce qu'il est en panne. Tu ne dois pas fumer. Prends le courrier tous les matins. Avant ton départ, il faut rendre les clés à la gardienne. Merci et bon séjour. À bientôt.

UNITÉ 6

Exercice 1
a. saisons ; **b.** temps libre ; **c.** congés ; **d.** heures ; **e.** moment.

Exercice 2
a. rentrée ; **b.** été ; **c.** semestre ; **d.** hiver ; **e.** printemps ; **f.** grandes vacances.

Exercice 3
a. 23h35 ; **b.** 12h00 ; **c.** 23h25 ; **d.** 7h45 ; **e.** 11h30 ; **f.** 7h40 ; **g.** 0h00 ; **h.** 10h30.

Exercice 4
a. dix heures moins dix ;
b. neuf heures vingt-cinq ;
c. midi dix ;
d. deux heures et quart ;
e. cinq heures et demie ;
f. quatre heures moins vingt ;
g. onze heures moins cinq ;
h. minuit cinq.

Exercice 5
a. - Il est quelle heure ?
- Vous avez l'heure, s'il vous plaît ?
b. - Oui, c'est possible.
- Non, désolé, je ne peux pas.
c. - La présentation commence à quelle heure ?
- La réunion est à quelle heure ?
d. - Et bien, vendredi soir.
- À 19 h. C'est d'accord ?
e. - Vous êtes libre vendredi ?
- Jeudi, c'est possible ?

Exercice 6
a. se coucher ; **b.** se coiffer ; **c.** se réveiller ; **d.** se raser ; **e.** se maquiller ; **f.** s'habiller ; **g.** se laver.

Exercice 7
a. au mois de / en ; **b.** en ; **c.** au mois de / en ; **d.** au ; **e.** en ; **f.** en ; **g.** au mois de / en.

Exercice 8
a. Nous n'allons jamais à l'opéra. **b.** Samir fait souvent de la cuisine. **c.** Mes amis vont rarement à la montagne. **d.** Fatoumata fait de la musique tous les mardis soirs.
e. D'habitude, elle ne boit pas de café. **f.** Nous parlons toujours français en cours de français !

Exercice 9
a. peux ; **b.** peuvent ; **c.** peux ; **d.** pouvons ; **e.** peut ; **f.** pouvez.

Exercice 10
a. trois fois par semaine ; **b.** tous les mardis ; **c.** deux fois par semaine ; **d.** le dimanche ; **e.** chaque vendredi ; **f.** une fois par semaine.

Exercice 11
a. prenons ; **b.** prenez ; **c.** prend ; **d.** prends ; **e.** prends ; **f.** prennent.

Exercice 12
a. jusqu'à ; **b.** à partir de ; **c.** entre ; **d.** pendant ; **e.** à ; **f.** à, de, à ; **g.** vers ; **h.** pendant.

Exercice 13
a. Jamais ; **b.** Parfois ; **c.** Régulièrement ; **d.** Rarement ; **e.** Souvent ; **f.** Toujours.

Exercice 14
Sortir : *Je sors*, tu sors, il sort, nous sortons, vous sortez, *ils sortent*.
Partir : Je pars, *tu pars*, il part, nous partons, *vous partez*, ils partent.
Finir : Je finis, tu finis, *il finit*, nous finissons, vous finissez, *ils finissent*.
Choisir : Je choisis, tu choisis, *il choisit*, *nous choisissons*, vous choisissez, ils choisissent.

Exercice 15
a. choisis ; **b.** sors ; **c.** finissez ; **d.** partons ; **e.** réfléchis ; **f.** part ; **g.** sortez.

Exercice 16
a. te promènes ; **b.** se couchent ; **c.** vous levez ; **d.** se maquille ; **e.** m'habitue ; **f.** nous préparons ; **g.** te dépêches.

Exercice 17
a. *Non*, nous ne nous promenons pas en ville samedi, nous nous promenons en ville dimanche. ; **b.** *Non*, Sylvia ne s'habille pas comme ça tous les jours, elle s'habille comme ça pour sortir. ; **c.** *Non*, je ne me rase pas tous les matins, je me rase un jour sur deux. ; **d.** *Non*, ils ne se couchent pas tard pendant la semaine, ils se couchent tard seulement le week-end. ; **e.** *Non*, en général, nous ne nous lavons pas le soir, nous nous lavons le matin. ; **f.** *Non*, ils ne se reposent pas le matin, ils se reposent l'après-midi.

Exercice 18
a. – D'abord, Isabelle rentre chez elle. Ensuite, elle prend un bain, puis elle prépare son dîner. Enfin, elle lit un bon livre.
b. – D'abord, Edouard a téléphoné à Nathan, puis il a pris l'apéritif avec son ami. Enfin, il a dîné au restaurant.
c. – D'abord, Emily est née à Seattle, ensuite elle a déménagé en Californie. Enfin, elle a trouvé du travail à Boston.
d. – D'abord, Clément remarque une jolie fille. Puis, il parle avec elle et ensuite, il envoie des fleurs. Enfin, il remarque une autre jolie fille !

Exercice 19
a. Mon **/n/** amie Alice est **/t/** en vacances. - **b.** Vous **/z/** allez rien en **/n/** Australie ? - **c.** Tu dois **/rien/** être content de vivre sans **/z/** elle.- **d.** Il est toujours **/rien/** en **/n/** avance. - **e.** C'est **/t/** un grand **/t/** ami.- **f.** Eva et **/rien/** Albert **/rien/** adorent les **/z/** animaux.

Exercice 20
a. un programme de télévision ; **b.** tous les jours ; **c.** le dimanche ; **d.** lundi, à 19h05 ; **e.** cinq minutes.

Exercice 21
a. un article de journal ; **b.** tout le monde ; **c.** une fois par semaine ; **d.** dans un café ; **e.** parler français ; **f.** quand vous voulez !

Exercice 22
Proposition de corrigé : *Le matin, Sylvain se réveille à six heures et il se lève. D'abord, il prend son petit déjeuner, puis à sept heures, il se lave et il s'habille. Ensuite, à huit heures, il part à son travail. Il travaille tous les jours de huit heures et demi à treize heures, puis de quatorze heures trente à dix-sept heures trente. À treize heures, il déjeune souvent avec ses collègues. Le soir, Sylvain mange généralement devant la télévision, il adore regarder le journal de 20 heures. Enfin, il se couche vers vingt-trois heures. C'est tous les jours la même chose !*

UNITÉ 7

Exercice 1
a. GARE ; **b.** VILLE ; **c.** ARCHITECTURE ; **d.** PATRIMOINE ; **e.** ITINÉRAIRE ; **f.** BÂTIMENT ; **g.** TRANSPORT ; **h.** MÉTRO.

Exercice 2
a. un parc ; **b.** la poste ; **c.** l'office du tourisme ; **d.** la mairie ; **e.** la gare ; **f.** une banque ; **g.** un lycée.

Exercice 3
a. il y a une église : c'est l'église Saint-Louis. ; **b.** il y a un cinéma : c'est le cinéma Alain Resnais. ; **c.** il y a une boulangerie : c'est la boulangerie « Au pain d'or ». ; **d.** il y a un café : c'est le café « Aux douceurs ». ; **e.** il y a une librairie : c'est la librairie « Compagnie ». ; **f.** il y a un magasin de vêtements : c'est le magasin de vêtements « Zora ».

Exercice 4
a. il neige ; **b.** il fait chaud ; **c.** il pleut ; **d.** il ne fait pas beau ; **e.** il fait très froid ; **f.** il ne fait pas froid.

Exercice 5
a. Il n'y a pas de cafés. **b.** Il n'y a pas d'école. **c.** Il n'y a pas de théâtre. **d.** Il n'y a pas de voitures. **e.** Il n'y a pas de lycée. **f.** Il n'y a pas de pharmacies. **g.** Il n'y a pas de fromager. **h.** Il n'y a pas d'épicerie.

Exercice 6
a. une entreprise dynamique ; **b.** un lieu magnifique ; **c.** des écoles internationales ; **d.** un café célèbre ; **e.** un quartier animé ; **f.** une ville agréable ; **g.** des monuments très anciens ; **h.** une belle ville.

Exercice 7
Darcy habite à Melbourne. Il n'aime pas les transports en commun : il va au travail en voiture ou **à vélo**. Quand il fait beau, il préfère marcher, il y va **à pied**. Il y a une gare près de chez lui. Souvent, il va à Sydney chez sa sœur **en train**. Il y a aussi un aéroport international à Melbourne : l'année dernière, il est allé à Paris **en avion**. Là-bas, il a beaucoup marché et il a visité la ville **en autobus**. La ville est grande, pour aller plus vite, il a aussi voyagé **en métro**.

Exercice 8

a. on y va ; **b.** elles y sont ; **c.** j'y vais ; **d.** ils n'y habitent pas ; **e.** il y est ; **f.** elle n'y travaille pas.

Exercice 9

a. la première rue à droite / les escaliers
b. tout droit
c. à gauche / à droite
d. les escaliers
e. à gauche / à droite
f. les escaliers / tout droit
g. la rue / le pont / la place

Exercice 10

a. Tourne ; **b.** Monte ; **c.** Continue ; **d.** Traverse ; **e.** Va ; **f.** Descends ; **g.** Prends ; **h.** Marche.

Exercice 11

a. le hall d'entrée ; **b.** le pont des Arts ; **c.** tout droit ; **d.** de la gare ; **e.** marché ; **f.** église ; **g.** chez lui ; **h.** première rue à droite.

Exercice 12

J'habite dans la rue Carnot, en face de la piscine. Pour venir chez moi, c'est facile. **Prenez** le boulevard Gambetta. **Continuez** tout droit sur le boulevard (sur 200 mètres). **Tournez** à gauche, dans la rue Génissieu, puis **tournez** à droite, dans la rue Lakanal. **Traversez** la place Championnet. **Descendez** les escaliers puis **prenez** la troisième rue à droite. C'est là, au numéro 3 !

Exercice 13

a. loin d' ; **b.** derrière ; **c.** à gauche ; **d.** loin de ; **e.** sous ; **f.** à l'intérieur.

Exercice 14

a. cet ; **b.** cette ; **c.** Ces ; **d.** Cet ; **e.** cette ; **f.** Ces ; **g.** ce.

Exercice 15

a. ce ; **b.** cette ; **c.** ce ; **d.** Ces ; **e.** ce ; **f.** cette ; **g.** cet.

Exercice 16

a. Quand est-ce que le musée est ouvert ? **b.** Où est-ce que l'hôpital se trouve ? **c.** À quelle heure est-ce que la bibliothèque ferme ? **d.** Comment est-ce que nous pouvons y aller ? **e.** Combien est-ce que l'entrée coûte ? **f.** Qu'est-ce que tu utilises comme transport ? **g.** Où est-ce que tu es ?

Exercice 17

a. Où ; **b.** quand ; **c.** combien ; **d.** où ; **e.** comment ; **f.** quand ; **g.** comment ; **h.** combien.

Exercice 18

a. Où est-ce que la Maison de la Photographie se trouve ?
b. Quand est-ce que nous pouvons visiter le château ?
c. Combien est-ce que le ticket d'entrée coûte ?
d. Comment est-ce qu'on peut aller à la Sorbonne ?
e. Où est-ce que la Poste se trouve ?
f. Où est-ce que vous êtes ?
g. Quand est-ce que tu pars à Amsterdam ?
h. Comment est-ce que Juliette va à la faculté ?

Exercice 19

a. une brochure d'information ; **b.** un musée ; **c.** en bus / en voiture ; **d.** le lundi / les jours fériés ; **e.** les enfants de moins de 8 ans ; **f.** 10 €.

Exercice 20

Proposition de corrigé : Salut ! Voici des explications pour venir chez moi, samedi soir. C'est facile ! J'habite dans le quartier Saint-Bruno, au numéro 6, sur la place de l'église (il y a un marché sur cette place tous les matins... vous connaissez ?). Voici un itinéraire pour venir à pied du centre-ville. Quand vous êtes sur la place Victor Hugo, vous prenez le boulevard Alsace-Lorraine jusqu'à la gare. À la gare, vous tournez à gauche, vous passez sous le pont, vous traversez la rue Berriat et vous prenez la première rue à gauche, la rue Mozart. Là, vous continuez tout droit et vous arrivez sur la place, en face de l'église Saint-Bruno. Mon immeuble se trouve derrière l'église, entre le café Mon plaisir et le fleuriste. Mon appartement est au deuxième étage. Voilà ! À demain. John

UNITÉ 8

Exercice 1

a. on va en boîte de nuit. **b.** on va dans la salle de concert. **c.** on va à la bibliothèque. **d.** on va au cinéma. **e.** on va au restaurant. **f.** on va au musée. **g.** on va au café. **h.** on va au théâtre.

Exercice 2

a. va commencer ; **b.** vont organiser ; **c.** ne vais pas me coucher ; **d.** allons voir ; **e.** vas faire ; **f.** va neiger ; **g.** allez rater.

Exercice 3

a. La photographie ; **b.** La cuisine ; **c.** La danse ; **d.** La lecture ; **e.** Les voyages ; **f.** La musique ; **g.** La peinture ; **h.** Le cinéma.

Exercice 4

Cette pièce de théâtre me plaît beaucoup.	+
Ce film est nul !	–
Ces tableaux sont très laids.	–
J'adore ce chanteur !	+
Le spectacle m'a vraiment plu.	+
Je m'ennuie : je rentre à la maison.	–
Je trouve que c'est trop long.	–
Je vais acheter leur CD.	+
Quel concert ! Génial !	+

Exercice 5

a. ne peut pas ; **b.** devez ; **c.** voulez ; **d.** veux ; **e.** ne pouvons pas ; **f.** veut ; **g.** dois ; **h.** veut, peut ; **i.** ne peuvent pas, doivent.

Exercice 6

a. veux, peux ; **b.** pouvez, voulez ; **c.** veux, peux ; **d.** peux, voulez ; **e.** veulent ; **f.** peut ; **g.** voulons, veux, pouvons ; **h.** veux.

Exercice 7

a. la télévision ; **b.** le Musée du Louvre ; **c.** l'acteur ; **d.** les informations ; **e.** la Joconde ; **f.** le livre ; **g.** les frites ; **h.** la caméra ; **i.** les films.

Exercice 8

a. crois ; **b.** croyez ; **c.** croient ; **d.** croyons ; **e.** croit ; **f.** croit ; **g.** croient ; **h.** croit.

Exercice 9

a. le roman ; **b.** le rideau ; **c.** l'acteur ; **d.** l'orchestre ; **e.** le musicien.

Exercice 10

a. la ; **b.** les ; **c.** l' ; **d.** le ; **e.** les ; **f.** les ; **g.** la.

Exercice 11

a. Tu peux les aider ?
b. Je ne veux pas la voir.
c. Est-ce que tu l'aimes ?
d. Il ne vous a pas regardé.
e. Nous allons partir avec vous.
f. Vous voulez les inviter ce soir ?

Exercice 12

a. Oui, je les apprécie.- **b.** Non, je ne les connais pas.- **c.** Non, je ne l'invite pas.- **d.** Oui, je l'ai reçu.- **e.** Non, je ne les fais pas.- **f.** Oui, je la prends.

Exercice 13

a. elle ne va pas réussir ; **b.** tu ne vas pas te lever ; **c.** je ne vais pas voir ; **d.** nous n'allons pas visiter ; **e.** elles ne vont pas sortir ; **f.** il ne va pas prendre ; **g.** vous n'allez pas vous amuser ; **h.** ils ne vont pas rendre visite.

Exercice 14

a. accepte ; **b.** refuse ; **c.** refuse ; **d.** accepte ; **e.** accepte ; **f.** refuse ; **g.** accepte ; **h.** accepte.

Exercice 15

a. ne le supporte pas ; **b.** ne l'entends pas ; **c.** Ne les oublie pas ; **d.** Je ne les achète pas ; **e.** ne les emmène pas ; **f.** ne la trouve plus.

Exercice 16

a. Tu n'aimes pas chant**er** ? ; **b.** Il a détest**é** la fin du roman. ; **c.** Vous all**ez** dans**er** toute la nuit ? ; **d.** Qu'est-ce que vous av**ez** décid**é** ? ; **e.** Vous voul**ez** nous accompagn**er** en ville ? ; **f.** Non, je vais rentr**er**. Je suis fatigu**é**. ; **g.** J'ai trop mang**é** à midi. Je ne veux pas dîn**er** ce soir. ; **h.** Cet acteur a gagn**é** le César du jeune espoir. Il va jou**er** dans le prochain film de Cédric Klapisch.

Exercice 17

[ø] : danseuse, peu, cheveux, déjeuner. [œ] : coiffeur, fauteuil, beurre, peur, leur, ordinateur, auteur, seul.

Exercice 18

a. Les commerçants. **b.** Regarder des films, Écouter des histoires. **c.** Non. **d.** Oui. **e.** Oui.

Exercice 19

Proposition de corrigé : Bonjour Alma. Je te propose de passer un week-end à Paris avec moi. Si tu veux, nous pouvons passer un week-end très culturel. On peut découvrir ensemble le Quartier latin. J'ai très envie de le voir avec toi ! On pourra aussi aller visiter le musée du Louvre. Je vais enfin voir et photographier la Joconde ! Il y a aussi une exposition intéressante sur Salvador Dali à Beaubourg, au centre Georges Pompidou. J'ai vu sur le plan que tout cela est au centre de Paris. Nous allons traverser de beaux quartiers. Tu es d'accord ?
Ton amie Ada.

UNITÉ 9

Exercice 1

Masculin : le séjour, l'hébergement, l'enregistrement, le billet, le trajet.
Féminin : la santé, la satisfaction, la pharmacie.

Exercice 2

1 : choisir une destination. 2 : acheter le billet d'avion. 3 : réserver un hébergement. 4 : préparer sa valise. 5 : aller à l'aéroport. 6 : enregistrer les bagages. 7 : partir.

Exercice 3

Coucou ! Un petit mot avant le grand **départ** ! Nous sommes à l'aéroport dans la salle d'attente avec les autres **passagers**. Nous avons montré nos **billets** et nous avons laissé nos bagages à l'**enregistrement**. J'ai fini ma **valise** ce matin, juste avant de partir ! Elle est assez lourde, mais pour un **séjour** d'un mois, c'est normal, non ? Nous avons trouvé un **hébergement** sympa dans le *Guide du Routard* : une auberge de jeunesse. Nous allons y rester quelques jours pour commencer. J'espère que le **vol** va bien se passer. À dans un mois, salut !

Exercice 4

a. venons ; **b.** vient ; **c.** venez ; **d.** vient ; **e.** viennent ; **f.** viens ; **g.** vient ; **h.** viens.

Exercice 5

a. Il y a des places disponibles pour le TGV de 11h48 ?
b. Je voudrais réserver pour une nuit.
c. Il reste des chambres pour le 8 mai ?
d. Où se trouve le camping ?
e. Est-ce qu'il y a un accès Internet ?

Exercice 6

- Bonjour Monsieur. Je voudrais aller à Rennes s'il vous plait.
- Bonjour. Oui, c'est **un aller simple ou un aller-retour** ?
- Un aller simple, s'il vous plaît.
- **Quand est-ce que vous voulez partir** ?
- Nous partons le 25 octobre.
- Bien, **vous voulez partir vers quelle heure** ? Le matin, le soir ?
- Disons vers 11h, c'est possible ?
- Oui, bien sûr. Vous voulez voyager **en première classe ou deuxième classe** ?
- Euh, en seconde.
- Parfait, c'est un billet pour **combien de personnes** ?
- Nous sommes 2 adultes et 2 enfants de moins de 5 ans.
- Voilà. 4 places pour Rennes, le 25 octobre à 11h13, arrivée à 13h45. Cela fait 178 euros, Monsieur.

Exercice 7

a. auberge de jeunesse ; **b.** hôtel ; **c.** camping ; **d.** gîte chez l'habitant.

Exercice 8

a. Nous venons de déménager à Toulouse. **b.** Il vient de passer ses examens. **c.** Je viens d'aller chez le médecin parce que je tousse. **d.** Monsieur Durand vient de sortir pour quelques minutes. **e.** Tu viens de téléphoner à ton oncle ? **f.** Vous venez d'arriver à Lyon. **g.** Vos amis viennent de gagner un séjour d'une semaine dans un jeu télévisé. **h.** Qu'est-ce que tu viens de dire ?

Exercice 9

a. les jambes. **b.** les yeux. **c.** la main. **d.** les oreilles. **e.** la bouche. **f.** le nez. **g.** le cou. **h.** les pieds.

Exercice 10

a. à la ; **b.** au ; **c.** au ; **d.** aux ; **e.** à la ; **f.** à la.

Exercice 11

a. faim ; **b.** chaud ; **c.** soif ; **d.** chaud ; **e.** faim ; **f.** froid.

Exercice 12

a. Si vous avez trop chaud, **retirez** votre pull, **ouvrez** la fenêtre ou **mettez** la climatisation. ; **b.** Si tu as faim, **va** acheter un croissant, **mange** une banane ou **prends** un morceau de gâteau. ; **c.** Si vous avez froid **allumez** le chauffage et **prenez** ma veste ! ; **d.** Si tu veux venir avec moi, **fais** vite, **prends** ta veste et monte dans la voiture tout de suite ! Et surtout, **n'oublie pas** ton sac !

Exercice 13

- Bonjour Madame, je viens chercher quelque chose parce que **je ne me sens pas bien**. J'ai toujours **froid**, et j'ai de **la fièvre**, 39º.
- Et est-ce que vous **toussez** ?
- Oui, un peu.
- Bien, prenez ce **sirop** pour la gorge, et voici des **comprimés** pour diminuer la fièvre, vous les prenez, trois fois par jour.
- Merci beaucoup.

Exercice 14

- Je suis parti sur l'Île de la Réunion en vacances.
- Ah, super ! C'était bien ?
- Oui, c'était magnifique, mais j'ai eu quelques problèmes : j'ai attrapé des **coups** de soleil terrible !
- Mais, tu n'avais pas de **crème** ?
- Si bien sûr ! Et j'ai aussi eu beaucoup de **piqûres** de moustiques.
- Et tu avais du **spray anti-moustiques** ! Mais tu ne l'as pas utilisé, c'est ça ? Et bien, bravo ! Tu vois le résultat !

Exercice 15

a. Dommage ! ; **b.** C'est triste. ; **c.** génial ; **d.** C'est génial ! ; **e.** heureux ; **f.** Vraiment ? ; **g.** Quelle chance !

Exercice 16

Hier soir, je suis allé voir un concert avec des amis. Pour entrer, **il y avait** une queue incroyable. Ensuite, à l'intérieur, **il y avait** aussi beaucoup de gens. Puis la musique a commencé, mais je n'ai pas aimé : pour moi, **c'était nul** ! Au milieu du concert, nous avons voulu boire un verre parce qu'**il faisait** vraiment très chaud dans la salle, **c'était** insupportable. Mais **il y avait** encore beaucoup de monde, nous avons attendu 20 minutes ! Quelle soirée, **c'était** horrible.

Exercice 17

a. Je suis allé / il y avait ; **b.** Vous avez participé / C'était ; **c.** Il y avait / J'y suis allé / C'était ; **d.** il y avait / il faisait ; **e.** a fait / n'a pas gagné / c'était ; **f.** avons mangé / Il y avait / nous avons eu / C'était ; **g.** J'ai été / je n'ai pas pu.

Exercice 18

[ʒ] : un orage, génial, magique, un pigeon, un réfrigérateur. [g] : guérir, une guitare, un frigo, une figure, il est grand, garder.

Exercice 19

a. ph ; **b.** ph ; **c.** ff ; **d.** f ; **e.** f ; **f.** f ; **g.** ff.

Exercice 20

a. Faux. **b.** Faux. **c.** Faux. **d.** On ne sait pas. **e.** Vrai. **f.** Vrai. **g.** Vrai.

Exercice 21

Dimanche *: Nous sommes bien arrivés. Nous avons trouvé notre hôtel facilement. Il est confortable et bien situé. Le soir, nous sommes sortis pour boire un verre et voir la ville de nuit. C'était vraiment joli.*

Lundi *: je me suis levée très tôt ce matin parce que je suis impatiente de tout voir ! J'ai commencé par une grande promenade sur le vieux port. Ensuite, nous sommes allés visiter Notre Dame de la Garde. Il faisait très beau. C'est un lieu important ici. De là, on peut voir toute la ville. Il y avait beaucoup de touristes !*

Mardi *: Nous avons passé la journée dans les Calanques. C'est superbe ! Nous avons pris le bateau et nous avons beaucoup marché. Il y avait de très beaux arbres. À Marseille, c'est vraiment génial, on peut profiter de la mer et de la ville en une seule journée !*

Mercredi *: shopping ! Nous avons fait les magasins toute l'après-midi. J'ai acheté des souvenirs pour tout le monde. Le midi, nous avons déjeuné dehors. C'était très agréable.*

Jeudi *: Nous avons pris un bateau pour visiter le château d'If. Je suis un peu triste parce que nous partons demain. Le voyage est déjà fini !*

UNITÉ 10

Exercice 1

Les mots de l'entreprise : la réunion, le télétravail, le comité d'entreprise ; l'entreprise. **Les mots de l'ordinateur** : le réseau, la connexion, le mot de passe, l'ordinateur.

Exercice 2

a. mot de passe / se connecter ; **b.** clavier ; **c.** clique / écran ; **d.** supprimer ; **e.** télécharge / clé USB.

Exercice 3

a. mon frère qui est ; **b.** cette actrice qui est ; **c.** ces chaussures qui sont ; **d.** un spectacle qui dure ; **e.** ses nouveaux collègues qui ont ; **f.** une fille qui a ; **g.** un roman qui raconte ; **h.** notre réunion qui est.

Exercice 4

a. que ; **b.** que ; **c.** qu' ; **d.** que ; **e.** qu' ; **f.** que ; **g.** qu' ; **h.** qu'.

Exercice 5

a. que tu connais ; **b.** qu'il aime beaucoup ; **c.** que nous allons visiter ; **d.** que le professeur vient de donner ; **e.** qu'Andy Warhol a peint ; **f.** que le directeur a envoyé hier ; **g.** qu'il vient de fixer avec ses collègues ; **h.** qu'ils ont choisi.

Exercice 6

a. À l'université, c'est lui **qui** prépare les cours et **que** les étudiants écoutent. C'est **le professeur**. ; **b.** Dans cette entreprise, c'est lui **qui** voyage beaucoup, **qui** a des rendez-vous et **que** ses collègues ne voient pas souvent. C'est **le commercial**. ; **c.** Ici, c'est elle **qui** dessine des plans et **qui** construit des logements. C'est **l'architecte**. ; **d.** C'est lui **que** l'entreprise emploie pour faire les comptes et **qui** aime les chiffres. C'est **le comptable**. ; **e.** Dans cette maison, c'est elle **qui** travaille dans le monde entier et **qui** parle plusieurs langues étrangères, c'est **la traductrice**.

Exercice 7

a. pendant ; **b.** pendant ; **c.** pendant ; **d.** depuis ; **e.** depuis ; **f.** pendant ; **g.** depuis ; **h.** depuis.

Exercice 8

a. a révisé ; **b.** fait ; **c.** parle ; **d.** a appris ; **e.** allons ; **f.** sont venus ; **g.** connaissez ; **h.** n'ai pas vu.

Exercice 9

a. Grégoire est convoqué à 8h30 pour l'examen oral. **b.** J'ai reçu mes notes : c'est bon ! **c.** Carl a étudié pendant trois ans à l'université après le baccalauréat. **d.** Choisir par exemple entre l'université, un institut technique ou une grande école. **e.** Je travaille depuis 4 ans et je suis des études en parallèle pour me spécialiser. **f.** Éva a eu sa licence avec mention « Très bien ».

Exercice 10

a. directeur ; **b.** chômeur ; **c.** salariés ; **d.** retraité.

Exercice 11

a. Les congés payés ; **b.** Les horaires ; **c.** Le salaire ; **d.** Le contrat ; **e.** Le métier.

Exercice 12

a. donc ; **b.** donc ; **c.** mais ; **d.** donc ; **e.** donc ; **f.** mais ; **g.** mais ; **h.** donc.

Exercice 13

a. mais ; **b.** ou ; **c.** donc ; **d.** et ; **e.** ou ; **f.** mais ; **g.** et ; **h.** donc.

Exercice 14

Octis, **entreprise** spécialisée dans la vente **recherche** son nouveau **commercial**. Le candidat doit avoir une grande **expérience** dans le commerce international et doit être **bilingue** français/anglais. Nous proposons un **CDD** d'un an à **temps complet** (35 heures par semaine). Le **salaire** est de 1800 €.
Envoyez votre lettre de motivation et votre **CV** à *direction@octis.com*.

Exercice 15

Philippe est **plus** heureux à Londres qu'à Paris. Maintenant, Philippe est **plus** libre : il a **plus de** temps qu'avant pour ses loisirs, pour ses amis et sa famille. Il a **plus de** travail pendant la journée mais il a **plus de** week-ends libres, **plus d'**activités sportives et **plus de** vacances. Il est aussi **plus** indépendant, **plus** mobile et **plus** détendu.

Exercice 16

À Dublin, Dorothée a **moins de** vacances qu'en France mais ses horaires sont **moins** stressants : elle a **moins d'**heures dans la journée et **moins de** travail en fin de semaine. Mais en même temps, elle a **moins de** temps pour la pause-déjeuner. Son salaire est **moins** élevé et elle a **moins d'**avantages. Le comité d'entreprise est **moins** actif : il organise **moins de** choses pour les salariés.

Exercice 17

a. Une demande d'emploi

Exercice 18

Bar cherche serveur pour aide en fin de semaine. Débutant accepté. Contact : Xavier (06 22 61 61 60). Réf. : 6646.

Exercice 19

a. un salarié dans une entreprise de plus de 50 personnes ; **b.** m'inscrire dans un club de sport ; **c.** Oui.

Exercice 20

<u>Proposition de corrigé :</u>
Bonjour, je vous présente notre nouvelle collègue.
Elle s'appelle Stella Dutour et elle a 30 ans. Après son Bac S en 2001, elle a étudié à l'INP de Grenoble et elle a fait un stage au Laboratoire de Recherche Laue Langevin pendant 3 mois. Après, elle est partie aux États-Unis pour travailler au MIT. Ensuite, Stella a travaillé pendant 3 ans comme ingénieur Nouvelles Technologies à Paris. Elle aime faire du tennis, lire et voyager. Elle habite à Lyon et elle est célibataire. Merci de lui souhaiter la bienvenue dans notre entreprise.
Cordialement, David.